進化《しんか》のふしぎ／ざんねんな いきもの事典《じてん》

今泉忠明監修

下間文恵・徳永明子・かわむらふゆみ 絵

高橋書店

はじめに

とつぜんですが、地球《ちきゅう》にはどれくらいの種類《しゅるい》の生《い》き物《もの》がいると思《おも》いますか？

じつは、その答《こた》えはだれにもわかりません。

人間《にんげん》が今《いま》までに発見《はっけん》した生《い》き物《もの》は、だいたい400万種《まんしゅ》くらいといわれていますが、毎日《まいにち》のように新種《しんしゅ》が発見《はっけん》され、その数《かず》はどんどんふえています。人間《にんげん》がまだ見《み》つけていない生物《せいぶつ》もふくめると、数億種《すうおくしゅ》になる、という説《せつ》もあります。

これだけたくさんの生《い》き物《もの》がいるのですから、すごい能力《のうりょく》をもつものもいます。たとえば、年《とし》を取《と》っても若返《わかがえ》る、不老不死《ふろうふし》のベニクラゲなど、人間《にんげん》にはとうていまねのできない能力《のうりょく》です。

でも、なかには「どうしてそうなった!?」と思《おも》わずつっこみたくなってしまう生《い》き物《もの》もいます。この本《ほん》では、進化《しんか》の結果《けっか》、なぜかちょっとざんねんな感《かん》じになってしまった生《い》き物《もの》たちをご紹介《しょうかい》します。

ぜひ、「おもしろい!」と笑《わら》ったり、「なぜだろう」と考《かんが》えたりしながら、読《よ》んでみてください。そう、生《い》き物《もの》について知《し》るのって、とっても楽《たの》しいことなんです。

今泉忠明《いまいずみただあき》

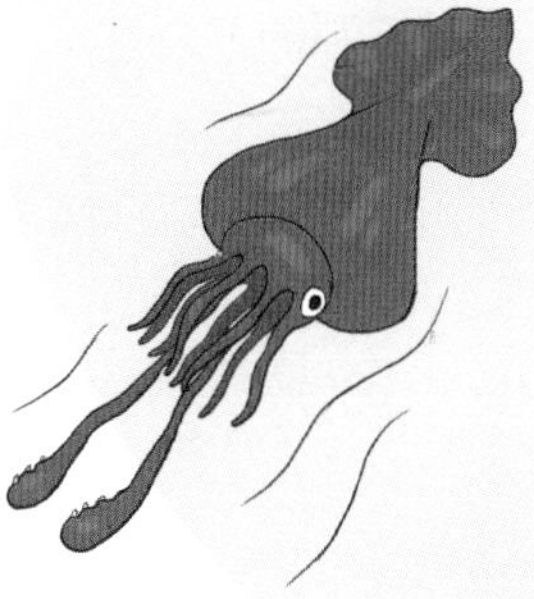

もくじ

第《だい》3章《しょう》 ざんねんな生《い》き方《かた》

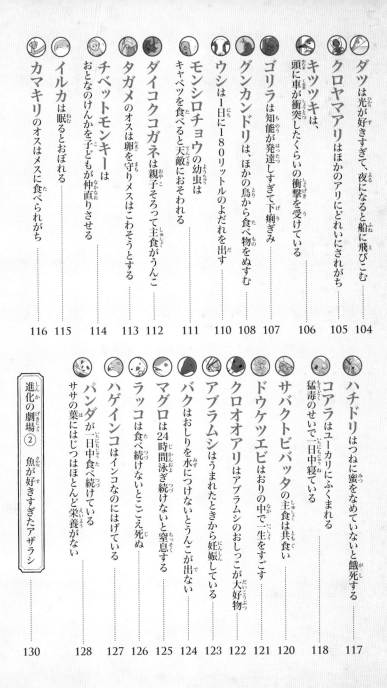

第《だい》4章《しょう》 ざんねんな能力《のうりょく》

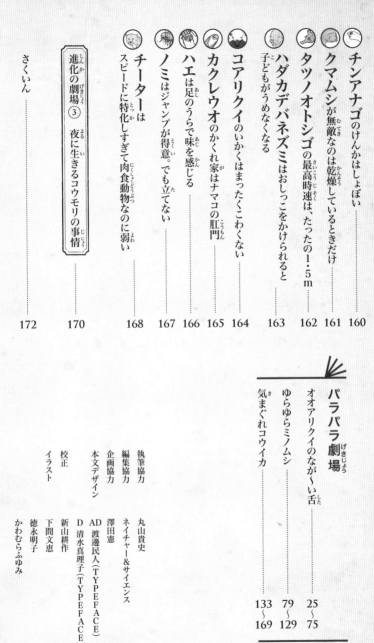

パラパラ劇場《げきじょう》

執筆協力　丸山貴史
編集協力　ネイチャー&サイエンス
企画協力　澤田憲
本文デザイン　AD 渡邊民人（TYPEFACE）
D 清水真理子（TYPEFACE）
校正　新山耕作
下間文恵
イラスト　徳永明子
かわむらふゆみ

のお話《はなし》

第《だい》1章《しょう》

ちょっぴり進《しん》化《か》

なぜ、この世界《せかい》に
ざんねんな生《い》き物《もの》たちがいるのか？
そのふしぎのヒントは「進化《しんか》」にあります。

進《しん》化《か》って、なんだ？

みんなが、今《いま》この本《ほん》を読《よ》んでいること。
じつはこれって、すごいことなんです。
私《わたし》たちは本《ほん》を読《よ》むとき、
無《む》意《い》識《しき》にたくさんの「能力《のうりょく》」を使《つか》っています。
この能力《のうりょく》こそ、人類《じんるい》が400万年《まんねん》におよぶ
進《しん》化《か》のなかで手《て》に入《い》れてきたものです。

「進《しん》化《か》」とは、体《からだ》のつくりや能力《のうりょく》が
長《なが》い時間《じかん》をかけて変《か》わっていくこと。
たとえば、左《ひだり》ページの例《れい》を見《み》てみましょう。

能力《のうりょく》1　目《め》

小《ちい》さな文字《もじ》の形《かたち》を見分《みわ》ける

能力《のうりょく》2　脳《のう》

読《よ》んだ内容《ないよう》を理解《りかい》する

能力《のうりょく》3　手《て》

うすい紙《かみ》を1ページずつめくる

これが進化《しんか》だ！ キリンの場合《ばあい》

足《あし》が長《なが》いので、速《はや》い

キリンの祖先《そせん》のなかに、たまたま足《あし》が長《なが》い子《こ》どもがうまれた。その足《あし》は、肉食動《にくしょくどう》物《ぶつ》からにげるのに役立《やくだ》った

でも、水《みず》が飲《の》みにくい

だんだん足《あし》が長《なが》いものがふえていったが、水《みず》が飲《の》みにくいせいで、まだおそわれやすかった！

こうして、キリンがうまれた

さらにぐうぜん、首《くび》も長《なが》い子《こ》どもがうまれた。水《みず》が飲《の》みやすかったため、足《あし》と首《くび》が長《なが》いものが生《い》き残《のこ》った

進《しん》化《か》の歴《れき》史《し》を見《み》てみよう

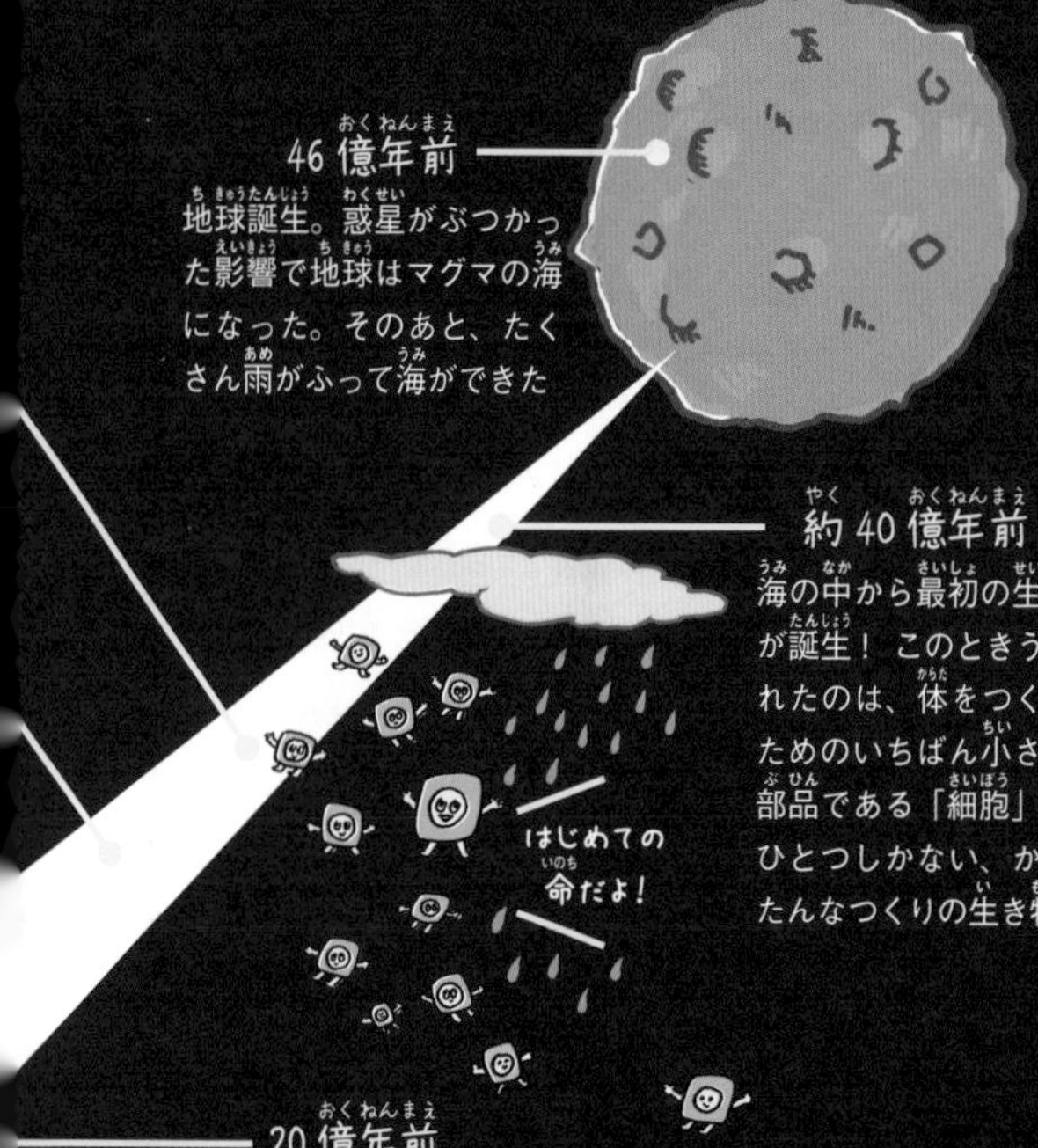

46億年前《おくねんまえ》

地球誕生《ちきゅうたんじょう》。惑星《わくせい》がぶつかった影響《えいきょう》で地球《ちきゅう》はマグマの海《うみ》になった。そのあと、たくさん雨《あめ》がふって海《うみ》ができた

約《やく》40億年前《おくねんまえ》

海《うみ》の中《なか》から最初《さいしょ》の生命《せいめい》が誕生《たんじょう》! このときうまれたのは、体《からだ》をつくるためのいちばん小《ちい》さい部品《ぶひん》である「細胞《さいぼう》」がひとつしかない、かんたんなつくりの生《い》き物《もの》

20億年前《おくねんまえ》

「多細胞生物《たさいぼうせいぶつ》」という、たくさんの細胞《さいぼう》が集《あつ》まってできた、ふくざつな生《い》き物《もの》がうまれる

イヌやメダカ、ゴキブリ、人間《にんげん》など、地球《ちきゅう》には見《み》た目《め》もくらし方《かた》もぜんぜんちがう生《い》き物《もの》が、たくさんいます。でも、すべての生命《せいめい》の始《はじ》まりは、約《やく》40億年前《おくねんまえ》にうまれた「細胞《さいぼう》」でした。

何《なに》かのきっかけでぐうぜんうまれたのか、はたまた宇宙《うちゅう》からやって来《き》たのかまだわかっていませんが、ともかくこの細《さい》胞《ぼう》が、変化《へんか》する地球《ちきゅう》の環境《かんきょう》に合《あ》わせてさまざまに進化《しんか》して、たくさんの種類《しゅるい》の生《い》き物《もの》が登場《とうじょう》したのです。

27億年前《おくねんまえ》
光合成《こうごうせい》をする植物《しょくぶつ》のような
生《い》き物《もの》が海《うみ》の中《なか》でうまれ、
酸素《さんそ》をたくさん出《た》し始《はじ》める
シアノバクテリア
26億《おく》5000万年《まんねん》～24億年前《おくねんまえ》
地球全体《ちきゅうぜんたい》が凍《こお》りつき、ほと
んどの生《い》き物《もの》がほろびる。
火山《かさん》などのあたたかい場所《はしょ》
の近《ちか》くで、わずかな生《い》き物《もの》
が生《い》きのびた
アノマロカリス
グリパニア
5億《おく》4000万年前《まんねんまえ》
さらにふくざつな体《からだ》の
しくみをもつ生《い》き物《もの》が
うまれる
エンドセラス
意外《いがい》と最近《さいきん》の
ことなんだぜ？
2億《おく》5000万年前《まんねんまえ》
やっと恐竜《きょうりゅう》が登場《とうじょう》！
ティラノサウルス
ステゴサウルス
パラミス
400万年前《まんねんまえ》
人間《にんげん》の祖先《そせん》がうまれる
ノタルクトゥス
ブロントテリウム
アウストラロピテクス

進化《しんか》の道《みち》は、けわしい

じつは、今《いま》まで地球《ちきゅう》に登場《とうじょう》した生《い》き物《もの》は、99・9%ほろんでしまいました。その種類《しゅるい》の生《い》き物《もの》が、すべてほろんで1匹《ぴき》もいなくなることを「絶《ぜつ》めつ」といいます。

せっかく進化《しんか》をしたというのに、どうして絶《ぜつ》めつしてしまうのでしょう？　3つの例《れい》を見《み》てみましょう。

恐竜《きょうりゅう》の祖先《そせん》
体《からだ》は2.5 mくらい
すばやく動《うご》いて
昆虫《こんちゅう》を食《た》べる
ニャササウルス・パリントニ
進化《しんか》
ティラノサウルス
体《からだ》は13 mまで
巨大化《きょだいか》
パワフルで
強《つよ》い！

絶《ぜつ》めつ……

巨大《きょだい》ないん石《せき》が落下《らっか》したのがきっかけで、地球《ちきゅう》が一気《いっき》に寒《さむ》くなった。ティラノサウルスは体温調節《たいおんちょうせつ》が苦《にが》手《て》だったため、体温《たいおん》が下《さ》がりすぎて、ほろんでしまった。

ほ乳類《にゅうるい》の祖先《そせん》

12cmと体《からだ》は
とても小《ちい》さい
小《ちい》さい昆虫《こんちゅう》な
どを食《た》べる

アデロバシレウス

進化《しんか》

ライオン

頭《あたま》がよく、なかまと
協力《きょうりょく》してかりをする
えものをつか
まえやすい、
速《はや》い足《あし》

生《い》き残《のこ》り成功《せいこう》！

まわりの環境《かんきょう》が多少変《たしょうか》わっても、頭《あたま》のよさと足《あし》の速《はや》さは役《やく》に立《た》った。かりでえものをつかまえたり、敵《てき》から身《み》を守《まも》ったりしながら数《かず》をふやし、今《いま》のライオンとなった。

鳥《とり》の祖先《そせん》

空《そら》を飛《と》べる翼《つばさ》
体《からだ》は40cmくらい

始祖鳥《しそちょう》

進化《しんか》

ディアトリマ

高《たか》さ2mにまで
巨大化《きょだいか》！ただし、
飛《と》べない
えものをとら
える、大《おお》きな
くちばしと速《はや》
い足《あし》

絶《ぜっ》めつ……

大《おお》きな体《からだ》でとても強《つよ》かったディアトリマ。でも、あとから登場《とうじょう》してきたほ乳類《にゅうるい》に卵《たまご》を食《た》べられるようになり、子《こ》どもをたくさん残《のこ》せなくなって、ほろんでしまった。

体《からだ》のつくりや能力《のうりょく》が進化《しんか》しても、
環境《かんきょう》がガラリと変《か》われば、絶《ぜつ》めつしてしまう！

じゃあ、人間《にんげん》もほろびちゃうの？

たとえば、地球《ちきゅう》が水《みず》にしずんだら……

人間《にんげん》は魚《さかな》のように水《みず》の中《なか》で呼吸《こきゅう》をすることができないので、ほろびる

環境《かんきょう》が変《か》われば、どんな生《い》き物《もの》でも絶《ぜつ》めつする。前《まえ》のページでは、そう説明《せつめい》しました。

では、人間《にんげん》がほろんでしまうこともあるのでしょうか？

もちろん、人間《にんげん》が対応《たいおう》できないほどの環境《かんきょう》の変化《へんか》が起《お》きれば、その可能性《かのうせい》はじゅうぶんあります。

そうならないように、みんなにできるのは、地球《ちきゅう》の環境《かんきょう》をこわさないように大《たい》切《せつ》にすること。そうすれば、きっとだいじょうぶです。

たとえば、地球《ちきゅう》がめちゃくちゃ暑《あつ》くなったら……

人間《にんげん》の脳《のう》は、
とてもかしこいかわりに
熱《ねつ》に弱《よわ》い。そのため、
頭《あたま》を冷《ひ》やせなくなって、
ほろびる

進化《しんか》は一方通行《いっぽうつうこう》

魚《さかな》のように水中《すいちゅう》で呼吸《こきゅう》ができるようになったり、は虫類《ちゅうるい》のように気温《きおん》に合《あ》わせて体温《たいおん》を変《か》えられるようになったりすれば、どんな環境《かんきょう》の変化《へんか》にも対応《たいおう》できる……。そんなふうに考《かんが》える人《ひと》がいるかもしれません。

しかし、それは無理《むり》です。進《しん》化《か》の道《みち》は、あともどりできない一方通行《いっぽうつうこう》。人間《にんげん》は、魚《さかな》やは虫類《ちゅうるい》の祖先《そせん》から進化《しんか》したため、かれらがもつ能力《のうりょく》を、これから手《て》に入《い》れることはできないのです。

一方通行

ピンチは進化《しんか》のチャンス!?

大《おお》きな環境《かんきょう》の変化《へんか》によって、絶体絶命《ぜったいぜつめい》のピンチにおちいったとき……。ぐうぜんが味方《みかた》につけば、進化《しんか》でピンチを乗《の》りこえられることもあります。どういうことなのか、本当《ほんとう》にあった、ある「ガ」の話《はなし》を見《み》てみましょう。

19世紀後半《せいきこうはん》——
イギリスでは
工場《こうじょう》がどんどん
ふえていた
工場《こうじょう》のそばの林《はやし》に
すんでいたのが、
このガ
シモフリエダシャク
白《しろ》い体《からだ》は、白《しろ》い木《き》の上《うえ》で
目立《めだ》たず
鳥《とり》に見《み》つかりにくかった!
あれ〜

しかし
工場《こうじょう》からのけむりで
木《き》の色《いろ》がだんだん
黒《くろ》くなっていった…
白《しろ》い体《からだ》は、黒《くろ》い木《き》の上《うえ》で
とても目《め》立《た》ってしまう!
!?
ピンチ
ヒョイ
当然《とうぜん》、
鳥《とり》にも
食《た》べられまくり…
パク
ところが、あるとき
黒《くろ》い体《からだ》のガが
ぐうぜんうまれた
これなら黒《くろ》い木《き》の上《うえ》でも
目《め》立《だ》たない!
ふふふ
おろかな
鳥《とり》め…
?
進《しん》化《か》
その結果《けっか》、
食《た》べられにくい
黒《くろ》いガが
ふえていった。
白《しろ》から
黒《くろ》への進化《しんか》が
かれらを
救《すく》ったのだ!

地《ち》球《きゅう》で生《い》き残《のこ》るコツ

かつて、地球《ちきゅう》の王者《おうじゃ》は、巨大《きょだい》な恐竜《きょうりゅう》でした。
しかし今《いま》、恐竜《きょうりゅう》は1匹《ぴき》もいません。
とつぜん落《お》ちてきたいん石《せき》のせいで、
地球《ちきゅう》が寒《さむ》くなってしまったからです。
食《た》べ物《もの》がへり、おなかをすかせた恐竜《きょうりゅう》たちは、
寒《さむ》さにこごえてほろんでしまいました。
どんなに強《つよ》い生《い》き物《もの》でも、地球《ちきゅう》の環境《かんきょう》がガラリと変《か》われば、
あっという間《ま》にほろんでしまう。
これが、自然《しぜん》のきびしいおきて。
地球《ちきゅう》がいつ、どう変《か》わるのか、

それは……運《うん》!?

だれもはっきりとはわからないので、
進化《しんか》に正解《せいかい》はありません。
生《い》き残《のこ》れるかどうかは、もはや運《うん》しだいなのです。
この本《ほん》に登場《とうじょう》するのは、ものすごく不便《ふべん》そうな体《からだ》や、
なんだか大変《たいへん》そうな生《い》き方《かた》、意味《いみ》のなさそうな能力《のうりょく》など、
はたから見《み》れば「ざんねん」な感《かん》じがする生《い》き物《もの》たち。
どうしてかれらが「ざんねん」になってしまったのか、
どんな運《うん》のよさのおかげで生《い》き残《のこ》ってこれたのか……。
そんなことを考《かんが》えてみるのも、
おもしろいですよ。

な

第《だい》2章《しょう》

ざんねん体《からだ》

この章《しょう》では、「どうして、こんなすがたになったの!?」と、
思《おも》わず口《くち》にしたくなるような生《い》き物《もの》たちをご紹介《しょうかい》します。

パラパラ劇場《げきじょう》

散《さん》歩《ぽ》中《ちゅう》のアリに
せまるのは……?

ダチョウは脳《のう》みそが目玉《めだま》より小《ちい》さい

ダチョウは**世界最大《せかいさいだい》の鳥《とり》で、あらゆるサイズが規格外《きかくがい》**です。

頭《あたま》までの高《たか》さ2・4m、体重《たいじゅう》150kgにもなる巨大《きょだい》な体《からだ》は、文句《もんく》なしに鳥類《ちょうるい》ナンバーワン。卵《たまご》の重《おも》さも1・5kgあり、その黄身《きみ》は世《せ》界最大《かいさいだい》の細胞《さいぼう》でもあります。当《とう》然《ぜん》、体《からだ》のパーツも大《おお》きく、目玉《めだま》だけでも直径《ちょっけい》5cm、重《おも》さは60gあります。これはニワトリの卵《たまご》とちょうど同《おな》じくらいの大《おお》きさです。

こうなると、**脳《のう》もさぞ大《おお》きそうなものですが、たった40gしかありません**。つまり目玉以下《めだまいか》です。

頭《あたま》のよさは脳《のう》の大《おお》きさだけでは決《き》まりませんが、**実際《じっさい》ダチョウはかなり記憶力《きおくりょく》が悪《わる》い**そうです。

プロフィール

鳥類《ちょうるい》

■**名前《なまえ》**　ダチョウ
■**生息地《せいそくち》**　アフリカのサバンナ
■**大《おお》きさ**　頭《あたま》までの高《たか》さ2.4m
■**とくちょう**　鳥《とり》のなかで最《もっと》も足《あし》が速《はや》く、時速《じそく》60km以上《いじょう》で走《はし》る

カバのお肌《はだ》は超《ちょう》弱《よわ》い

スキンケアって大事《だいじ》♡

カバにはどうもうな一面《いちめん》があり、**なわばりをあらすものにはようしゃしません**。アフリカでは、毎年《まいとし》3000人近《にんちか》くがカバにおそわれて命《いのち》を落《お》としているそうです。自分《じぶん》よりも大《おお》きなゾウやサイにもけんかを売《う》ることから、「**カバ最強説《さいきょうせつ》**」がうわさされたこともあります。

そんなカバですが、じつは人間《にんげん》の赤《あか》ちゃんもびっくりの超敏感《ちょうびんかん》肌《はだ》。**太陽《たいよう》の光《ひかり》を浴《あ》びただけで、ひびわれてやけどのような状態《じょうたい》に**なってしまいます。

そのため、日中《にっちゅう》はずっと川《かわ》や沼《ぬま》につかっていて、夜《よる》のあいだだけ草《くさ》を食《た》べに出《で》かけるのです。

プロフィール

- **名前《なまえ》**　カバ
- **生息地《せいそくち》**　アフリカの川《かわ》や沼《ぬま》

ほ乳類《にゅうるい》

- **大《おお》きさ**　体長《たいちょう》4m
- **とくちょう**　なわばりを示《しめ》すためにしっぽを使《つか》ってうんこをまき散《ち》らす

ウォンバットのうんこは四角《しかく》い

おしりには
こだわりたい

ウォンバットは、敵《てき》におそわれると巣《す》あなに頭《あたま》をつっこみ、おしりでふたをします。まさに「**頭《あたま》かくしてしりかくさず**」状態《じょうたい》ですが、おしりの皮《ひ》ふがとてもかたいので、かまれても平気《へいき》なのです。

それどころか、**敵《てき》の頭《あたま》をおしりと巣《す》あなの天井《てんじょう》の間《あいだ》にはさんで、くだいてしまう**こともあります。

そんなウォンバットのうんこはサイコロ形《がた》。かれらは自分《じぶん》のなわばりを知《し》らせるのにうんこを使《つか》うため、丸《まる》いうんこではコロコロ転《ころ》がって不便《ふべん》なのでしょう。かわいらしいすがたをしていますが、とにかく**おしりに対《たい》してはものすごいこだわりがある**ようです。

プロフィール

ほ乳類《にゅうるい》

- **名前《なまえ》**　ヒメウォンバット
- **生息地《せいそくち》**　オーストラリアの草原《そうげん》や林《はやし》
- **大《おお》きさ**　体長《たいちょう》1m
- **とくちょう**　あなほりが得意《とくい》

ほとんどのホタルは光《ひか》らない

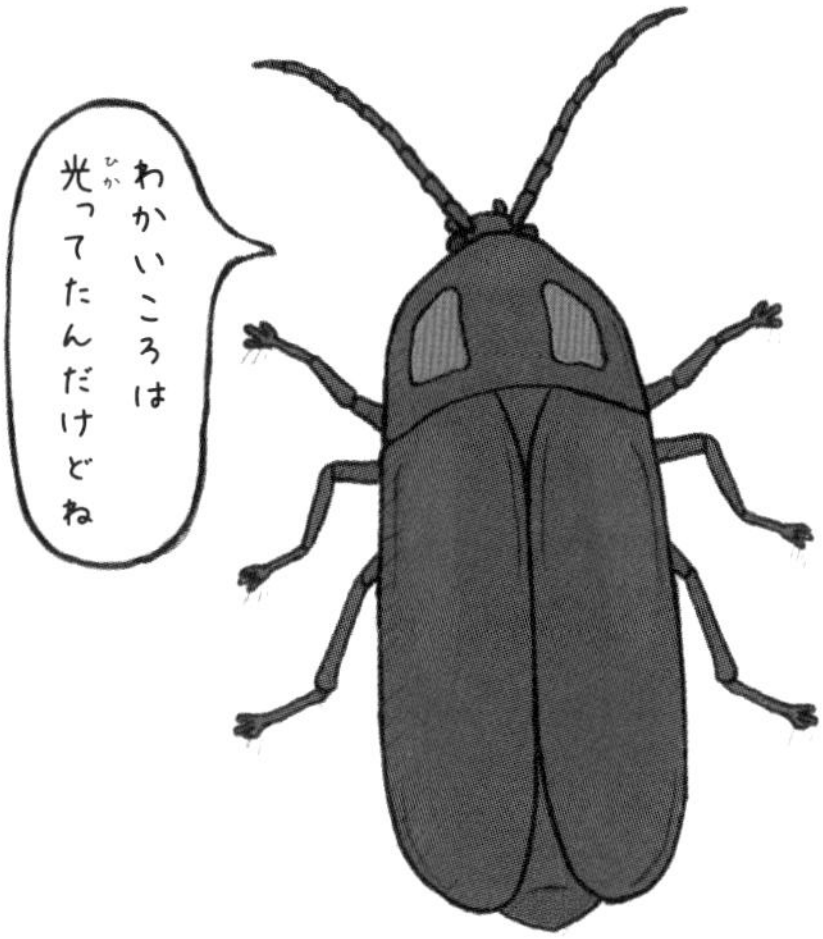

ホタルといえば、**夜《よる》の水辺《みずべ》で美《うつく》しく光《ひか》っているイメージ**があります。この光《ひかり》は、暗闇《くらやみ》の中《なか》で交尾《こうび》する相手《あいて》を見《み》つけるためのプロポーズの合図《あいず》といわれています。

でも、日本《にほん》に50種《しゅ》ほどいるホタルのうち、よく光《ひか》る種《しゅ》は10種《しゅ》ほど。ほとんどのホタルは幼虫《ようちゅう》のときだけ光《ひか》り、**おとなになると光《ひか》らなくなります**。

光《ひか》らないホタルの多《おお》くは昼《ひる》に活《かつ》動《どう》しているので、わざわざ夜《よる》に光《ひか》らなくても、交尾《こうび》の相手《あいて》を見《み》つけられるのです。ちなみに、**昼間《ひるま》に見《み》るホタルは赤黒《あかくろ》のゴキブリのようで**、美《うつく》しいイメージとはかけはなれています。

プロフィール

昆《こん》虫《ちゅう》類《るい》

- **名前《なまえ》**　オバボタル
- **生息地《せいそくち》**　日本《にほん》の森林《しんりん》
- **大《おお》きさ**　体長《たいちょう》1㎝
- **とくちょう**　成虫《せいちゅう》は昼《ひる》に活動《かつどう》し、夜《よる》は休《やす》んでいる

アードウルフはハイエナなのに歯《は》がボロボロ

アードウルフ（土《つち》のオオカミ）という**スパイのコードネームのような名前《なまえ》**と、シュッとした体《からだ》つきがとてもかっこいい動物《どうぶつ》ですが、**いかんせん歯《は》がボロボロ**です。

なぜ虫歯《むしば》のような歯《は》なのかというと、かれらの主食《しゅしょく》がシロアリだから。シロアリを食《た》べるには大《おお》きな舌《した》でなめ取《と》ればよく、かむ必要《ひつよう》はありません。そのため、いらなくなった歯《は》が退化《たいか》して、**本来《ほんらい》なら32本《ほん》ある歯《は》は、おとなになると8本《ぼん》もぬけてしまう**のです。

ライオンよりもすぐれたハンターといわれるブチハイエナのなかまですが、**骨《ほね》とかそういうかたい食《た》べ物《もの》は厳禁《げんきん》**でお願《ねが》いします。

プロフィール

ほ乳類《にゅうるい》

- **名前《なまえ》**　アードウルフ
- **生息地《せいそくち》**　アフリカのサバンナ
- **大《おお》きさ**　体長《たいちょう》70㎝
- **とくちょう**　1日《にち》に25万匹《まんびき》のシロアリを食《た》べる

バイオリンムシの羽《はね》の膜《まく》にはなんの意《い》味《み》もない

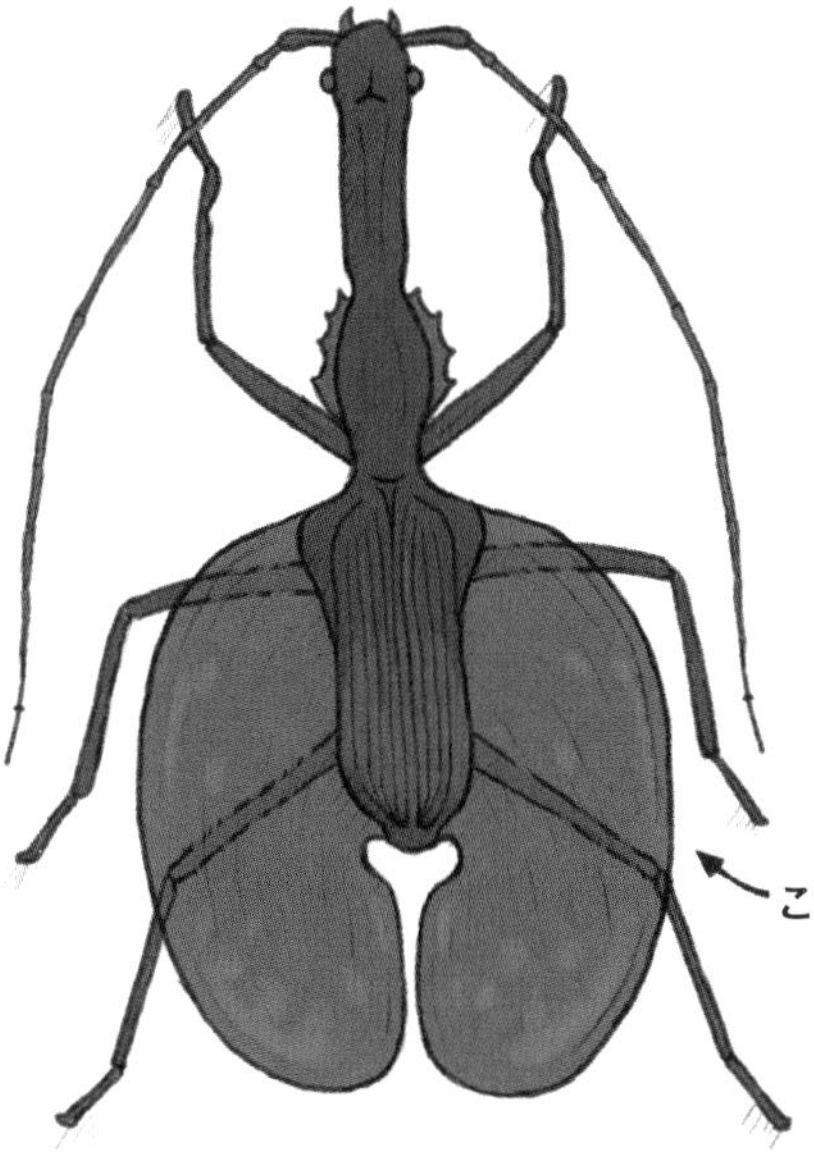

前羽《まえばね》の外側《そとがわ》にうすい茶色《ちゃいろ》の膜《まく》がついていて、**楽器《がっき》のバイオリンにそっくりな虫《むし》**が、バイオリンムシです。

しかしこの膜《まく》は、実際《じっさい》には何《なん》の役《やく》にも立《た》たないようです。かれらは体長《たいちょう》10㎝ほどですが、厚《あつ》みはたったの5㎜しかありません。そのため、木《き》の皮《かわ》のすき間《ま》にも入《はい》りこめますが、もちろん**膜《まく》がないほうが入《はい》りやすい**はずです。また、飛《と》ぶこともできますが、使《つか》うのは後《うし》ろ羽《ばね》なので、**前羽《まえばね》の膜《まく》は関係《かんけい》ありません**。落《お》ち葉《ば》に体《からだ》をにせているという説《せつ》もありますが、**膜《まく》がテカテカと黒光《くろびか》りするせい**で、**みょうに目《め》立《だ》ってしまいます**。

プロフィール

昆虫類《こんちゅうるい》

- ■名前《なまえ》　バイオリンムシ
- ■生息地《せいそくち》　インドネシアとマレーシアの森林《しんりん》
- ■大《おお》きさ　体長《たいちょう》10㎝
- ■とくちょう　サルノコシカケというキノコと、そこに集《あつ》まる虫《むし》を食《た》べる

カモノハシは あせのように母乳《ぼにゅう》を出《だ》す

カモノハシは、昆虫《こんちゅう》や鳥《とり》と同《おな》じように卵《たまご》をうみますが、私《わたし》たちと同《おな》じほ乳類《にゅうるい》です。そのため、イヌやネコと同《おな》じように母乳《ぼにゅう》で赤《あか》ちゃんを育《そだ》てます。

でも、**カモノハシには乳首《ちくび》がないので、おなかの皮《ひ》ふから母乳《ぼにゅう》を出《だ》します**。母親《ははおや》のおなかには、母《ほ》乳《にゅう》が出《で》るあながあり、白《しろ》い母乳《ぼにゅう》があせのようにしみ出《だ》します。カモノハシの赤《あか》ちゃんは、この母乳《ぼにゅう》のしずくをなめ取《と》って成長《せいちょう》していくのです。

あせなのか母乳《ぼにゅう》なのかややこしいですが、そもそも**母乳《ぼにゅう》はあせが変化《へんか》してできている**ので、大《おお》きなちがいはないのかもしれません。

プロフィール

ほ乳類《にゅうるい》

■**名前《なまえ》**　カモノハシ
■**生息地《せいそくち》**　オーストラリアの川《かわ》や湖《みずうみ》
■**大《おお》きさ**　体長《たいちょう》40㎝
■**とくちょう**　ほ乳類《にゅうるい》のなかで、最《もっと》も強力《きょうりょく》な毒《どく》をもっている

スズムシは足《あし》で音《おと》を聞《き》く

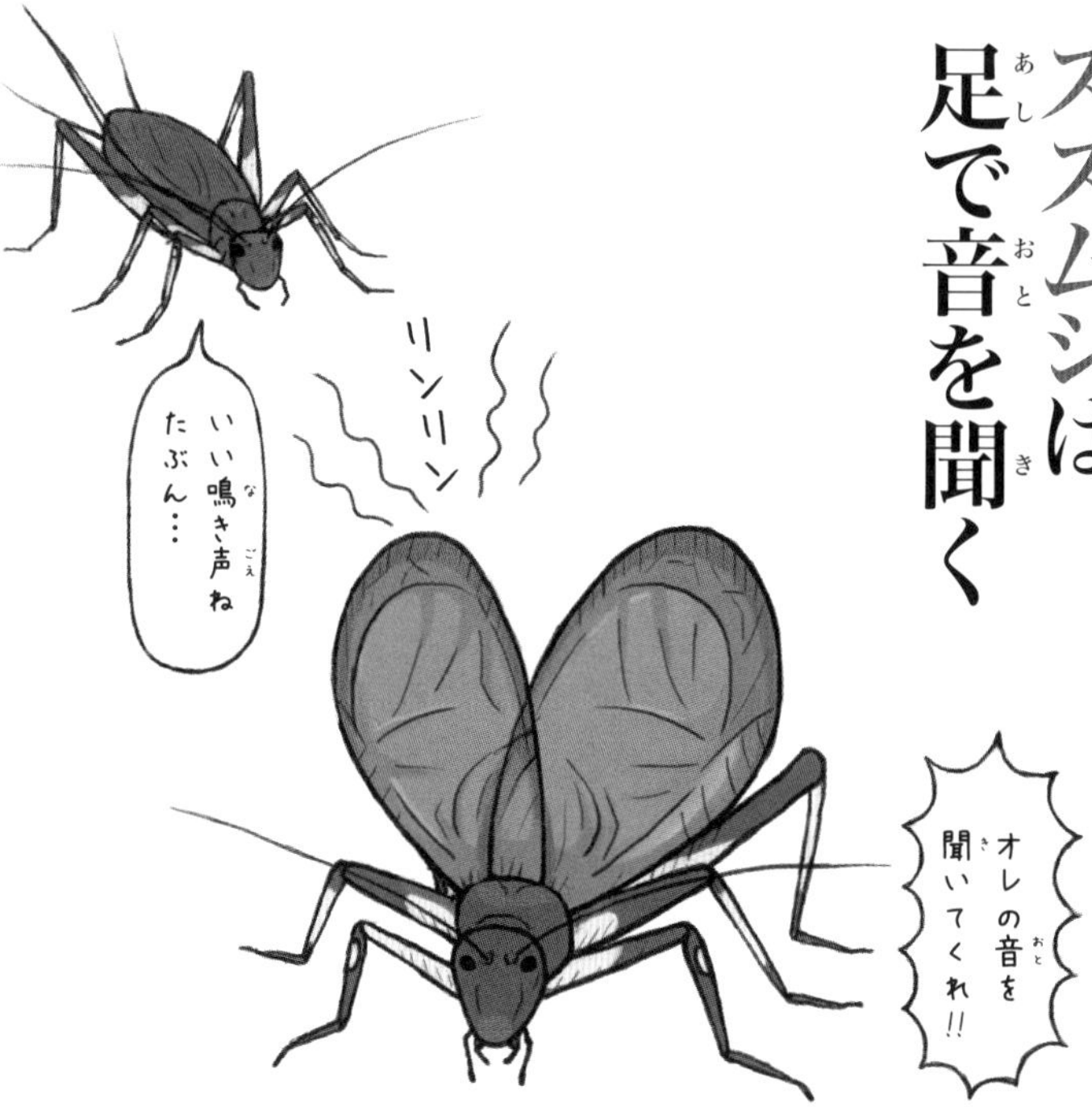

スズムシは秋《あき》になると美《うつく》しい声《こえ》で鳴《な》くことで有名《ゆうめい》な昆虫《こんちゅう》です。鳴《な》くといっても、のどから声《こえ》を出《だ》しているわけではありません。2枚《まい》の羽《はね》を高速《こうそく》でこすり合《あ》わせてリンリンと音《おと》を鳴《な》らしているのです。

この**鳴《な》き声《ごえ》は、オスからメスへのプロポーズ**。子孫《しそん》を残《のこ》すためにオスは必死《ひっし》です。一方《いっぽう》のメスは、美《うつく》しい声《こえ》に耳《みみ》をかたむけていると思《おも》いきや、**前足《まえあし》にあるむき出《だ》しの「こまく」でその音《おと》を聞《き》いています**。

このこまく、かんたんなつくりなので複雑《ふくざつ》な音《おと》の聞《き》き分《わ》けはできず、**人間《にんげん》の鳴《な》きまねにすらだまされるレベル**だそうです。

プロフィール

昆虫類《こんちゅうるい》

- **名前《なまえ》**　スズムシ
- **生息地《せいそくち》**　日本《にほん》の草地《くさち》
- **大《おお》きさ**　体長《たいちょう》2cm
- **とくちょう**　羽《はね》から音《おと》を出《だ》すのはオスだけ。メスは出《だ》せない

ホッキョクグマの毛《け》がぬけると、肌《はだ》は黒《くろ》い

雪《ゆき》のように白《しろ》いホッキョクグマですが、その**毛《け》の下《した》の肌《はだ》はツヤのない黒《くろ》**です。かれらがすむ北極《ほっきょく》はとても寒《さむ》いので、太陽《たいよう》の熱《ねつ》をたくさん吸収《きゅうしゅう》できるように黒《くろ》くなったと考《かんが》えられます。

また、**毛《け》の色《いろ》もじつは白《しろ》ではありません**。実際《じっさい》はガラスのようにとうめいで、光《ひかり》をきらきら反射《はんしゃ》するため白《しろ》く見《み》えているのです。毛《け》はストローのように中《なか》が空洞《くうどう》で、そこに温《あたた》かい空気《くうき》をためこんで、寒《さむ》さから身《み》を守《まも》っています。

しかし、毛《け》に空洞《くうどう》があれば、よごれも入《はい》りこみます。夏《なつ》などには体《からだ》から出《で》たよごれや脂《あぶら》で**シロクマならぬキグマになってしまう**こともあるようです。

プロフィール

ほ乳類《にゅうるい》

- ■名前《なまえ》　ホッキョクグマ
- ■生息地《せいそくち》　北極圏《ほっきょくけん》の氷上《ひょうじょう》
- ■大《おお》きさ　体長《たいちょう》2.5m
- ■とくちょう　陸上《りくじょう》で最大《さいだい》の肉食動物《にくしょくどうぶつ》

カツオはこうふんするとシマシマの向《む》きが変《か》わる

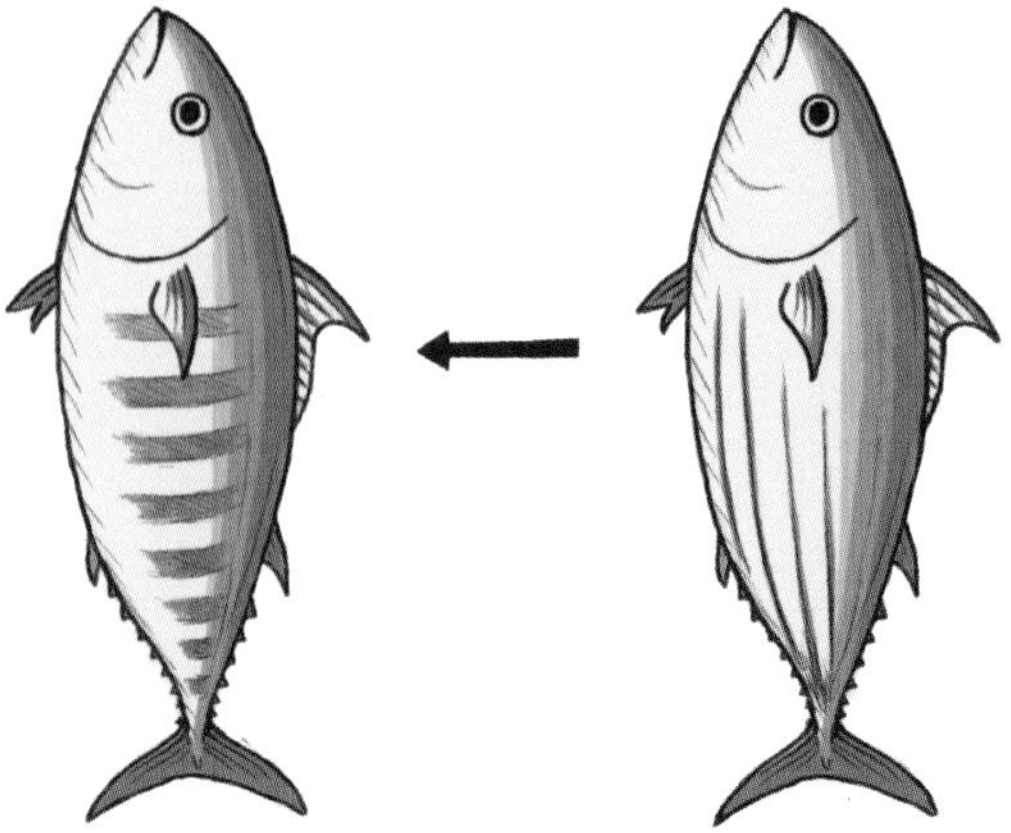

よこ　たて

水族館《すいぞくかん》などで泳《およ》いでいるカツオを見《み》ると、**頭《あたま》から尾《お》に向《む》かってうっすらとしまもようが出《で》ること**があります。これを生物学上《せいぶつがくじょう》「たてじま」とよびます。

しかし、えものを追《お》いかけたりメスを追《お》いかけたりして**カツオがこうふんすると、一瞬《いっしゅん》でしまの向《む》きが変《か》わります**。背中《せなか》からおなかにかけての太《ふと》いしまもようは「よこじま」とよばれています。そしてカツオが落《お》ち着《つ》くと、またたてじまにもどるからふしぎです。

さらに**カツオが死《し》ぬと、たてじまがクッキリとこくなります**。でも、どうしてしまの向《む》きが変《か》わるのか、**理由《りゆう》はまったくのなぞ**です。

プロフィール

硬骨魚類《こうこつぎょるい》

- ■**名前《なまえ》**　カツオ
- ■**生息地《せいそくち》**　熱帯《ねったい》から温帯《おんたい》にかけての海《うみ》
- ■**大《おお》きさ**　全長《ぜんちょう》70cm
- ■**とくちょう**　大型《おおがた》のサメやクジラ、流木《りゅうぼく》についてむれで泳《およ》ぐ習性《しゅうせい》がある

オランウータンはけんかの強《つよ》さが顔《かお》に出《で》る

オランウータンのオスの顔《かお》には、フランジというお面《めん》のようなひだがあります。**フランジのあるオスは強《つよ》そうに見《み》えますが**、どのオスにもあるわけではありません。若《わか》いオスがけんかに勝《か》つと、男性《だんせい》ホルモンが分泌《ぶんぴつ》され、**たった1日《にち》でフランジが発達《はったつ》**します。つまり、**けんかに勝《か》った印《しるし》**です。

しかし、よいことばかりではないようです。フランジが発達《はったつ》すると、けんかの強《つよ》いオスに目《め》をつけられてしまいます。そのため、**あまり強《つよ》くないのに勝《か》ってしまったオスは悲惨《ひさん》**で、乱暴《らんぼう》なオスに出会《であ》わないように、こそこそ生《い》きていかなくてはならないのです。

プロフィール

ほ乳類《にゅうるい》

- ■**名前《なまえ》**　ボルネオオランウータン
- ■**生息地《せいそくち》**　ボルネオ島《とう》の森林《しんりん》
- ■**大《おお》きさ**　身長《しんちょう》90㎝
- ■**とくちょう**　オスはのど袋《ぶくろ》を使《つか》って鳴《な》き、なわばりを主張《しゅちょう》する

ざんねん度《ど》

クジャクの羽《はね》は長《なが》すぎてじゃま

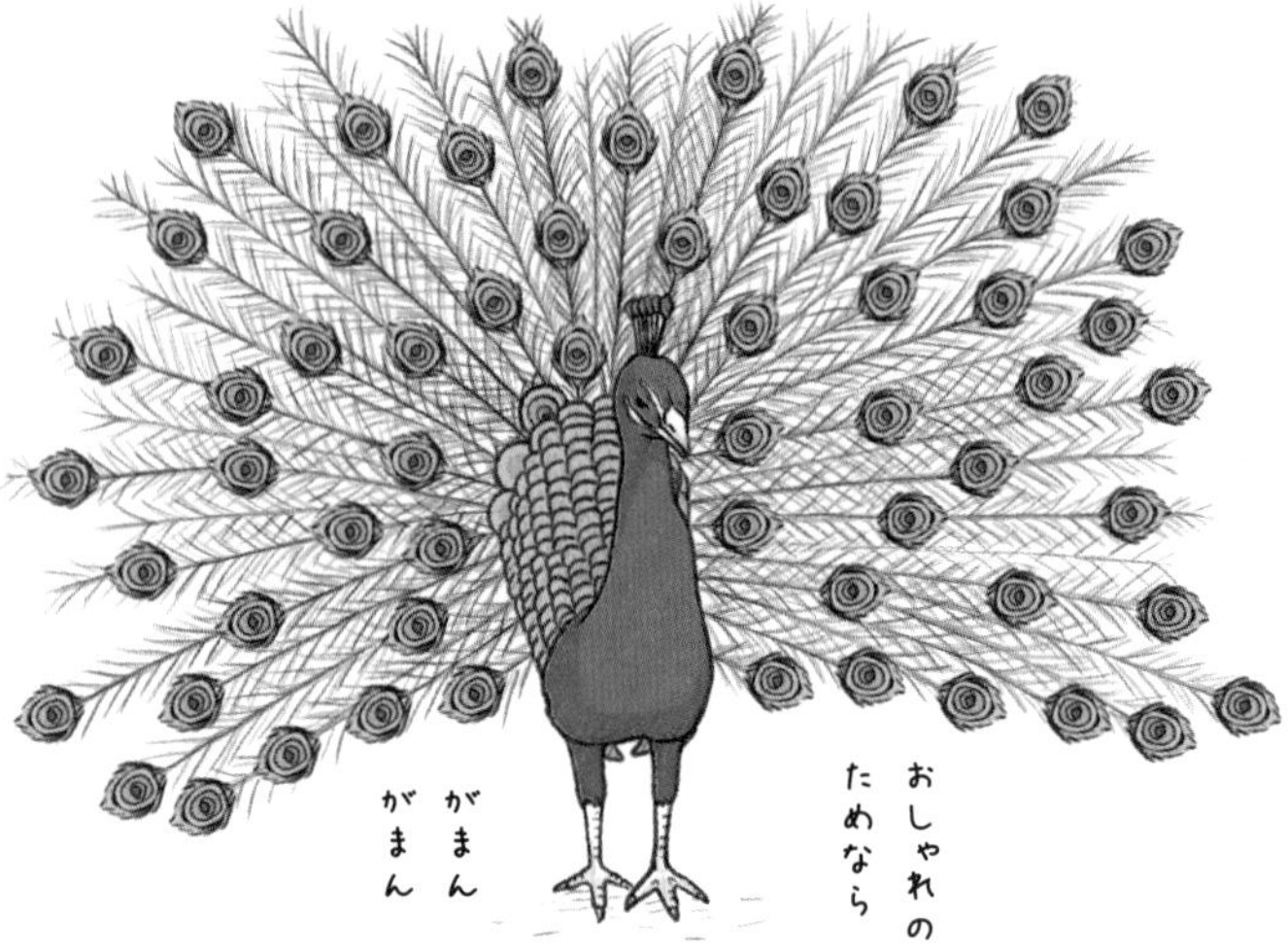
おしゃれの
ためなら
がまん
がまん

まるで黄金《おうごん》の扇子《せんす》を広《ひろ》げたようなド派手《はで》な羽《はね》をもつクジャクですが、**長《なが》く美《うつく》しい羽《はね》をもつのはオスだけ**。メスの羽《はね》は茶色《ちゃいろ》く地味《じみ》な色《いろ》をしており、長《なが》くもありません。

オスだけが美《うつく》しい羽《はね》をもつのは、メスにアピールして気《き》に入《い》られるためです。それ以外《いがい》は役《やく》に立《た》たず、空《そら》を飛《と》ぶのにも、動《うご》き回《まわ》るのにもじゃま。しかも、羽《はね》を広《ひろ》げているときに**強《つよ》めの風《かぜ》がふくと、転《ころ》んでしまいます**。

とにかくメスに気《き》に入《い》られようとがんばるオスは、男《おとこ》らしくもありますが、鳴《な》き声《ごえ》が「**イヤーンイヤーン**」と聞《き》こえてしまうのは、どうしようもありません。

プロフィール

鳥類《ちょうるい》

■**名前《なまえ》**　インドクジャク
■**生息地《せいそくち》**　南《みなみ》アジアの森林《しんりん》
■**大《おお》きさ**　全長《ぜんちょう》2.2m（繁殖期《はんしょくき》のオス）
■**とくちょう**　オスのかざり羽《ばね》は繁殖期《はんしょくき》が終《お》わるとぬけ落《お》ちる

りっぱな大《おお》あごのクワガタは、生《い》きづらい

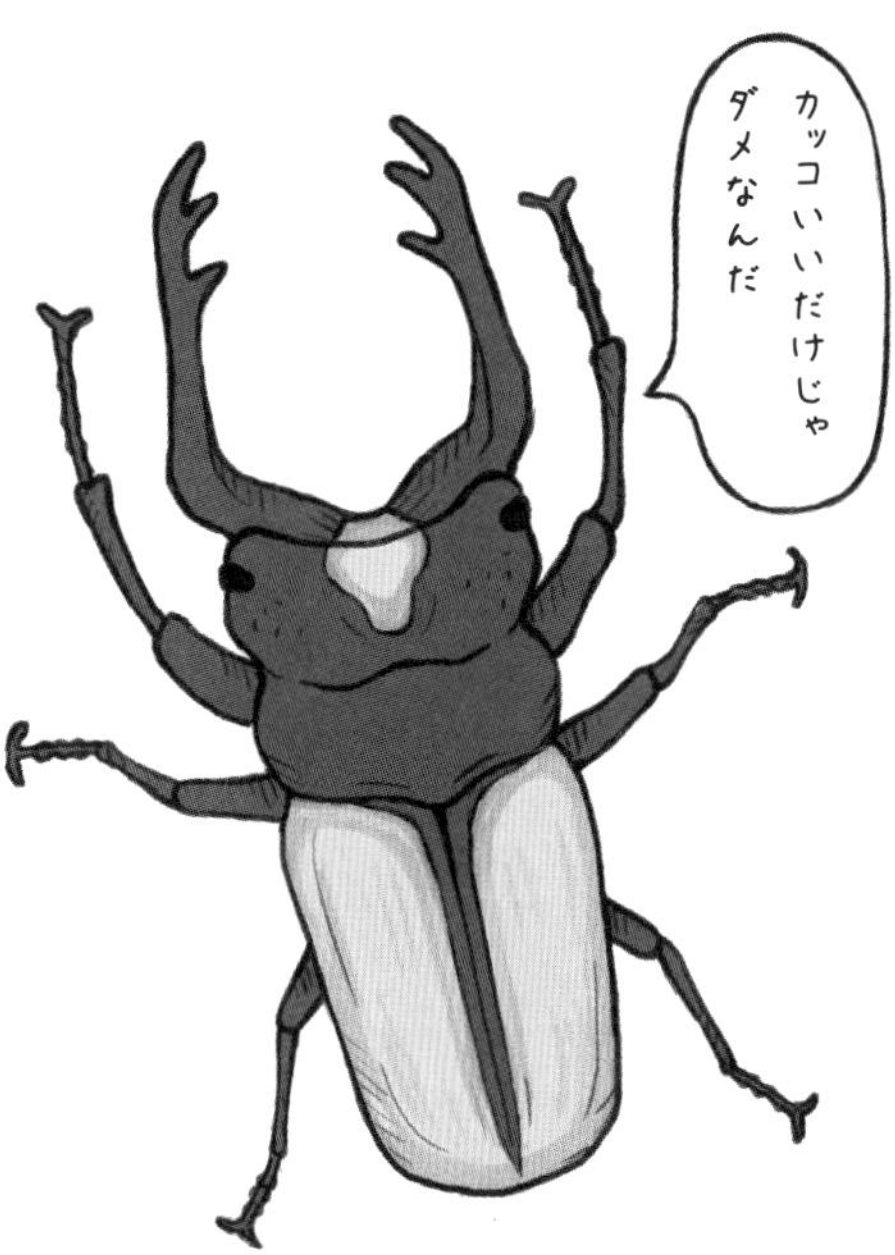
カッコいいだけじゃダメなんだ

クワガタの大《おお》あごは長《なが》いほど、オスどうしの戦《たたか》いでは有利《ゆうり》です。そのため、**進化《しんか》の過程《かてい》でどんどん長《なが》くなっていきました。**しかし、じつは長《なが》い大《おお》あごには不便《ふべん》な点《てん》も多《おお》いのです。

大《おお》あごが長《なが》いと、あなに頭《あたま》をつっこめず、**樹液《じゅえき》をうまく食《た》べられません。**空《そら》を飛《と》ぶのも大変《たいへん》で、**メスを探《さが》すための移動距離《いどうきょり》も短《みじか》くなりがちです。**さらに、大《おお》あごの長《なが》いオスどうしで争《あらそ》っているすきに、大《おお》あごが短《みじか》く**小回《こまわ》りのきくオスが、ちゃっかりメスと交尾《こうび》してしまうことも**あります。戦《たたか》いに勝《か》っても、これではまったく意味《いみ》がありませんね。

プロフィール

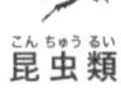

昆虫類《こんちゅうるい》

■**名前《なまえ》**　ラコダールツヤクワガタ

■**生息地《せいそくち》**　スマトラ島《とう》の森林《しんりん》

■**大《おお》きさ**　全長《ぜんちょう》6.6㎝

■**とくちょう**　頭部《とうぶ》に逆三角形《ぎゃくさんかくけい》の黄色《きいろ》いもようがある

ウナギの体《からだ》が黒《くろ》いのは ただの日焼《ひや》け

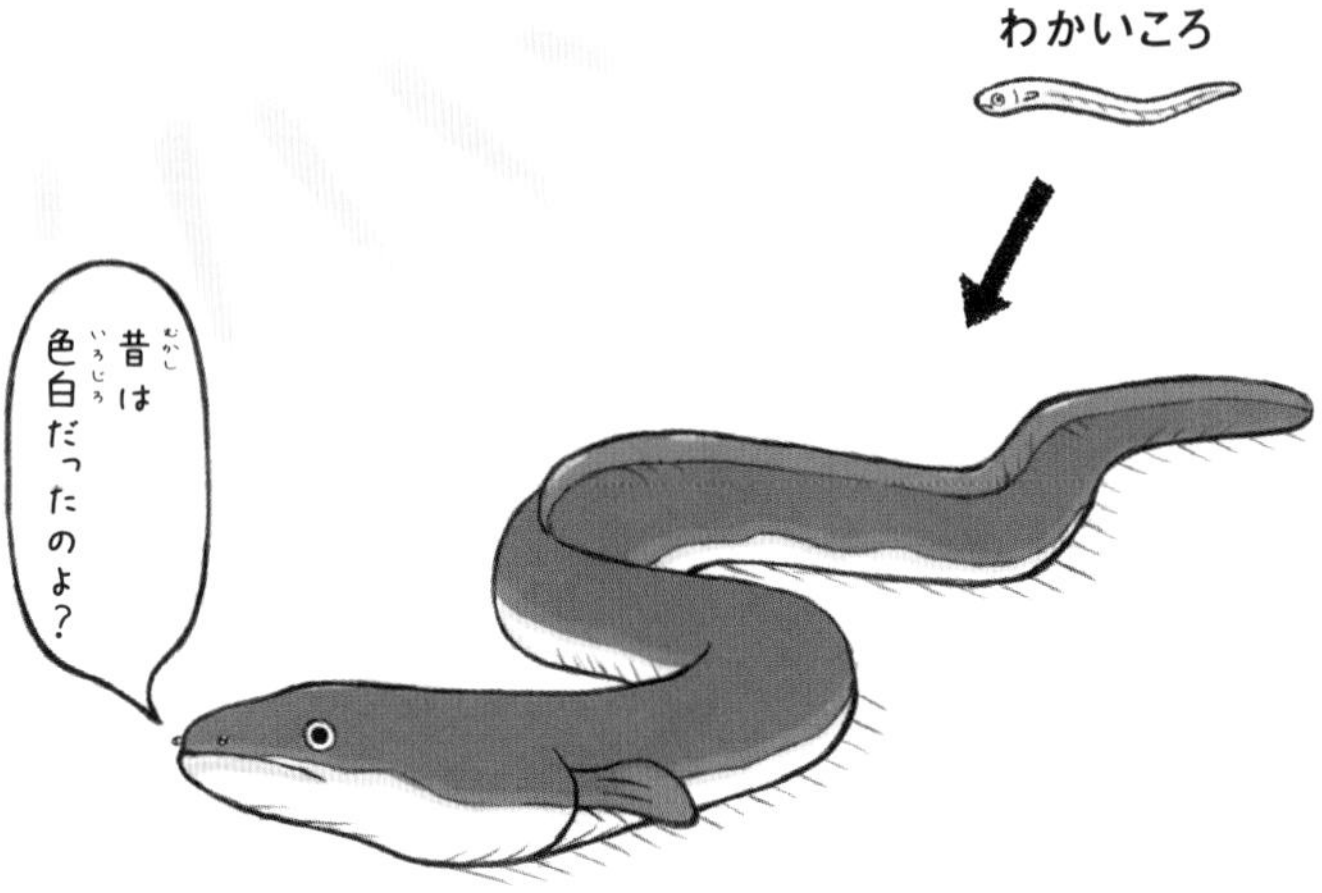

ウナギは世界一深《せかいいちふか》い海《うみ》であるマリアナ海溝《かいこう》でうまれますが、最初《さいしょ》は白《しろ》っぽくとうめいな体《からだ》です。ところが成長《せいちょう》して、川《かわ》をさかのぼり始《はじ》めるころになると、どんどん体《からだ》が黒《くろ》くなります。

これは、**日焼《ひや》け**です。太陽《たいよう》の光《ひかり》には、「紫外線《しがいせん》」という体《からだ》に有害《ゆうがい》な光《ひかり》がふくまれています。そのため太陽《たいよう》の光《ひかり》が届《とど》かない深《ふか》い海《うみ》から浅《あさ》い川《かわ》にやって来《く》ると、**体《からだ》の表面《ひょうめん》を黒《くろ》くして体《からだ》の中《なか》に紫外線《しがいせん》が入《はい》らないように守《まも》っている**のです。これは、人間《にんげん》が夏《なつ》に日焼《ひや》けをするのと同《おな》じしくみ。人間《にんげん》がかば焼《や》きにする前《まえ》に、**すでにこんがり焼《や》けて**いたのですね。

プロフィール

硬骨魚類《こうこつぎょるい》

- **名前《なまえ》**　ウナギ
- **生息地《せいそくち》**　東《ひがし》アジアの海《うみ》や川《かわ》
- **大《おお》きさ**　全長《ぜんちょう》80㎝
- **とくちょう**　うろこがなく、体《からだ》の表面《ひょうめん》がぬるぬるしている

デンキウナギはのどに肛門《こうもん》がある

デンキウナギは、生物《せいぶつ》のなかで最《もっと》も強《つよ》い電気《でんき》を出《だ》すことができます。この**強力《きょうりょく》な電気《でんき》で周囲《しゅうい》の魚《さかな》を気絶《きぜつ》させて食《た》べている**のです。

かれらの**体《からだ》の80％は発電《はつでん》のための器官《きかん》**で、自分《じぶん》がしびれないように、表面《ひょうめん》はぶあつい脂肪《しぼう》でおおわれています。また、生《い》きるのに必《ひっ》要《よう》な胃《い》や腸《ちょう》などの器官《きかん》はすべて体《からだ》の前《まえ》のほうにまとまっています。成《な》り行《ゆ》きで見《み》た目《め》が似《に》てしまっただけで、**じつはウナギとはまったく別《べつ》のなかまの魚《さかな》**なのです。

おしりのあなも前《まえ》にあるため、うんこをするすがたは、まるであごの下《した》からひげを生《は》やしているようにも見《み》えます。

プロフィール

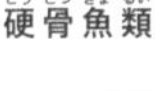
硬骨魚類《こうこつぎょるい》

- **名前《なまえ》**　デンキウナギ
- **生息地《せいそくち》**　南《みなみ》アメリカ北部《ほくぶ》の河川《かせん》
- **大《おお》きさ**　全長《ぜんちょう》2.5m
- **とくちょう**　後《うし》ろ向《む》きにも泳《およ》ぐことができる

キクガシラコウモリは鼻《はな》の形《かたち》が変《へん》

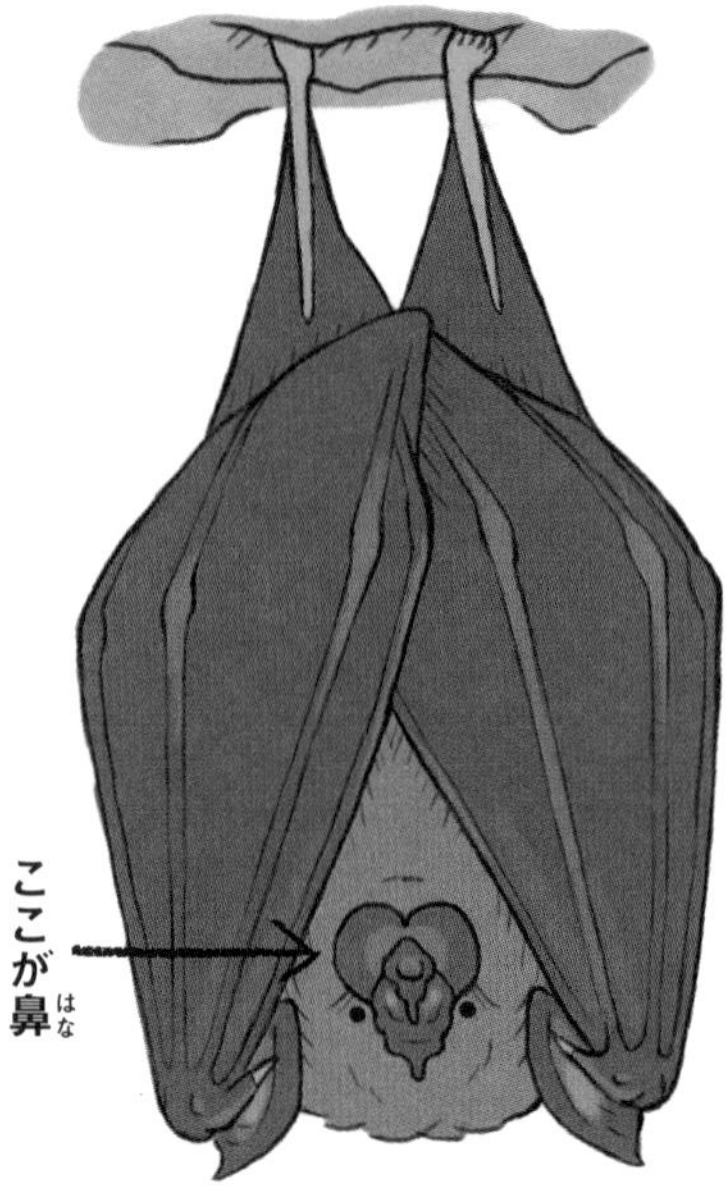

コウモリの多《おお》くは、**私《わたし》たちの耳《みみ》には聞《き》こえない超音波《ちょうおんぱ》を出《だ》しています。**この超音波《ちょうおんぱ》が物《もの》にぶつかって返《かえ》ってくる音《おと》を聞《き》くことで、どこにどんな形《かたち》のものがあるのかが、**真《ま》っ暗闇《くらやみ》の中《なか》でもわかる**のです。

とくにキクガシラコウモリは、細《ほそ》い木《き》の枝《えだ》の間《あいだ》でも、体《からだ》をぶつけることなく飛《と》べます。かれらは鼻《はな》の形《かたち》が、まるで菊《きく》の花《はな》びらのように大《おお》きく発達《はったつ》したことで、**複雑《ふくざつ》な超音波《ちょうおんぱ》を送《おく》ったり受《う》けたりできる**ようになったのです。

鼻《はな》だけ見《み》ると、**壁《かべ》に正面《しょうめん》から激《げき》突《とつ》したのか**と思《おも》いますが、そんなミスは絶対《ぜったい》におかしません。

プロフィール

ほ乳類《にゅうるい》

■名前《なまえ》	キクガシラコウモリ	■大《おお》きさ	体長《たいちょう》7.3㎝
■生息地《せいそくち》	アフリカからユーラシアの森《しん》林《りん》	■とくちょう	冬《ふゆ》にはつばさを体《からだ》に巻《ま》きつけて冬眠《とうみん》する

シロヒトリのプロポーズは気《き》持《も》ち悪《わる》い

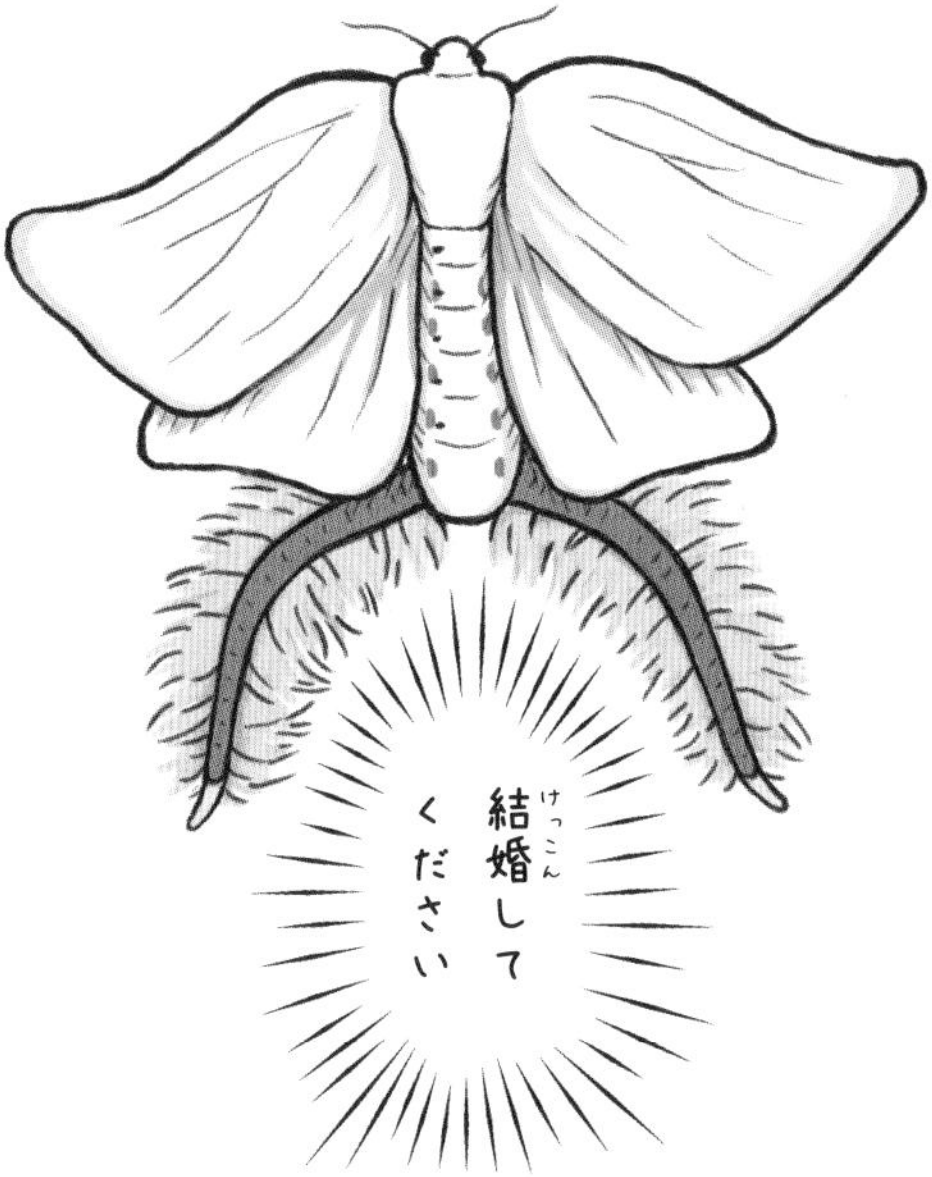

ガの多《おお》くは夜行性《やこうせい》です。夜《よる》になると交尾《こうび》の相手《あいて》を探《さが》して飛《と》びまわりますが、暗闇《くらやみ》では何《なに》も見《み》えないので、**フェロモンというにおいのもとを体《からだ》から出《だ》して自分《じぶん》の存在《そんざい》をアピール**します。

たいていの昆虫《こんちゅう》はオスがメスのにおいをたよりに探《さが》しますが、シロヒトリの場合《ばあい》はぎゃく。シロヒトリのオスは「**ヘアペンシル**」という**特大《とくだい》サイズのフェロモン放出《ほうしゅつ》器官《きかん》**をもっていて、ここからにおいのもとをたくさん出《だ》すことでメスをよびよせるのです。

ある意味《いみ》とてもかしこい方法《ほうほう》ですが、いかんせん**エイリアンの触《しょく》手《しゅ》**のようで気《き》持《も》ち悪《わる》すぎます。

プロフィール

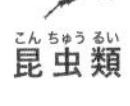
昆虫類《こんちゅうるい》

■**名前《なまえ》**　シロヒトリ

■**生息地《せいそくち》**　アジアの草地《くさち》

■**大《おお》きさ**　前羽《まえばね》の長《なが》さ3.2cm

■**とくちょう**　幼虫《ようちゅう》はタデ科《か》の植物《しょくぶつ》のスイバやイタドリなどを食《た》べる

ニホンザルは おしりが赤《あか》ければ赤《あか》いほどモテる

ニホンザルは世界《せかい》で最《もっと》も北《きた》にすむサルで、一部《いちぶ》のむれは温泉《おんせん》に入《はい》ることでも知《し》られています。

ニホンザルといえば、真《ま》っ赤《か》な顔《かお》とおしりを思《おも》いうかべますが、じつは**毛《け》の下《した》の皮《ひ》ふはうすいピンク色《いろ》**。それなのに顔《かお》やおしりが赤《あか》く見《み》えるのは、皮《ひ》ふの表面近《ひょうめんちか》くに細《ほそ》い血管《けっかん》がはりめぐらされていて血《ち》の色《いろ》がすけて見《み》えるためです。

かれらにとって赤《あか》い肌《はだ》は、血流《けつりゅう》がよく元気《げんき》な証拠《しょうこ》。つまり「**生命力《せいめいりょく》が強《つよ》いサル**」と見《み》なされ、異性《いせい》にモテるというわけです。

ニホンザル界《かい》でモテるには、整《ととの》った顔《かお》などはまったく必要《ひつよう》なく、**顔《かお》やおしりがどれだけ赤《あか》いかが大切《たいせつ》**なのです。

プロフィール

ほ乳類《にゅうるい》

- **名前《なまえ》**　ニホンザル
- **生息地《せいそくち》**　日本《にほん》の森林《しんりん》
- **大《おお》きさ**　体長《たいちょう》50㎝
- **とくちょう**　世界《せかい》でもめずらしい顔《かお》とおしりが赤《あか》いサル

ツチブタの体《からだ》は超《ちょう》かたい。でも、頭《あたま》は超弱《ちょうよわ》い

ツチブタは**地面《じめん》に巣《す》あなをほって生活《せいかつ》しています**。そして大《おお》きくかたい爪《つめ》でシロアリの巣《す》をこわし、シロアリを食《た》べるのです。

体《からだ》もとてもがんじょうで、**ライオンの爪《つめ》で背中《せなか》を引《ひ》っかかれても**、そのままあなをほってにげきることもあります。

ところが、**ツチブタの頭《あたま》はとても貧弱《ひんじゃく》**。主食《しゅしょく》のシロアリは舌《した》でなめ取《と》って丸《まる》のみするため、歯《は》はほとんどなく、口《くち》を大《おお》きく開《あ》けることすらできません。そのため筋肉《きんにく》が少《すく》なく、骨《ほね》もうすくなっていて、**かたい木《き》や岩《いわ》に頭《あたま》をぶつけると、あっけなく死《し》んでしまう**こともあるのです。

プロフィール

ほ乳類《にゅうるい》

- ■**名前《なまえ》** ツチブタ
- ■**生息地《せいそくち》** アフリカのサバンナ
- ■**大《おお》きさ** 体長《たいちょう》1.3m
- ■**とくちょう** 30㎝以上《いじょう》ある長《なが》い舌《した》でシロアリをなめ取《と》る

ワニが口《くち》を開《ひら》く力《ちから》は おじいちゃんの握力《あくりょく》に負《ま》ける

　動物《どうぶつ》のなかでも、いちばんかむ力《ちから》が強《つよ》いといわれるのが、イリエワニです。

　その**大《おお》きさはワニのなかでもトップクラス**で、最大《さいだい》6m以上《いじょう》。「世界最大《せかいさいだい》の捕獲《ほかく》されたワニ」としてギネスブックにものりました。

　かみつく力《ちから》もはんぱではありません。**口全体《くちぜんたい》で小型《こがた》のトラックくらいの重《おも》さをかけられる**ので、たいていのものはかみくだいてしまいます。

　ところが口《くち》を開《あ》ける力《ちから》はびっくりするほど弱《よわ》く、たったの30kgほど。**日本人《にほんじん》の平均的《へいきんてき》なおじいちゃんが片手《かたて》でおさえこめる**ほど、弱《よわ》い力《ちから》しか出《だ》せません。

プロフィール

は虫類《ちゅうるい》

- **名前《なまえ》**　イリエワニ
- **生息地《せいそくち》**　インド洋沿岸《ようえんがん》の海水《かいすい》と淡水《たんすい》がまじったところ
- **大《おお》きさ**　全長《ぜんちょう》6m（最大《さいだい》）
- **とくちょう**　すべてのは虫類《ちゅうるい》のなかで最《もっと》も重《おも》く、最大《さいだい》で1t《トン》をこえる

ムカシトカゲには第《だい》3の目《め》があるがよく見《み》えない

でもなんかかっこいいでしょ？
ここ

ムカシトカゲの頭《あたま》の骨《ほね》のてっぺんにはあなが開《あ》いており、そこには**本物《ほんもの》の目《め》と同《おな》じパーツをそなえた「第《だい》3の目《め》」**があります。

ところが、**この目《め》はほとんど見《み》えません。**卵《たまご》から生《う》まれたばかりのときは目玉《めだま》のように見《み》えますが、生後半年《せいごはんとし》もするとうろこでおおわれ、外見上《がいけんじょう》はわからなくなってしまいます。第《だい》3の目《め》をもっているのに、あえてそれを封印《ふういん》しているなんて、まるで**マンガのキャラクターのような設定《せってい》**です。

この目《め》の役割《やくわり》ははっきりしていませんが、**太陽《たいよう》の光《ひかり》を感《かん》じることで方角《ほうがく》や時間《じかん》を知《し》り、体温《たいおん》を調節《ちょうせつ》しているよう**です。

プロフィール

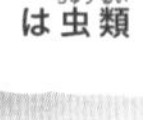

は虫類《ちゅうるい》

- **名前《なまえ》**　ムカシトカゲ
- **生息地《せいそくち》**　ニュージーランドの森林《しんりん》や海岸《かいがん》
- **大《おお》きさ**　全長《ぜんちょう》58㎝
- **とくちょう**　とても長生《ながい》きで、100年以上《ねんいじょう》生《い》きるものもいる

グラスフロッグは内臓《ないぞう》が外《そと》から丸見《まるみ》え

プライバシーがないのがなやみ

グラスフロッグとは「ガラスのカエル」という意味《いみ》。名前《なまえ》のとおりおなかが半《はん》とうめいで、下《した》から見《み》ると**内臓《ないぞう》がほぼ丸見《まるみ》え**です。

スケスケな理由《りゆう》として、葉《は》っぱにはりついているときに、ヘビなどの敵《てき》が下《した》から見上《みあ》げても発見《はっけん》されにくいようになっている、という説《せつ》があります。ふつうは葉《は》っぱを下《した》から見上《みあ》げると、体《からだ》の影《かげ》が黒《くろ》くうつってしまいますが、体《からだ》が半《はん》とうめいだと葉《は》っぱの下《した》まで光《ひかり》が届《とど》くので、**影《かげ》がうすくなって気《き》づかれにくい**のです。

ただし、いったん見《み》つかってしまったら**大切《たいせつ》な内臓《ないぞう》や卵《たまご》の位置《いち》は敵《てき》にバレバレ**です。

プロフィール

両生類《りょうせいるい》

■名前《なまえ》	ラパルマアマガエルモドキ	■大《おお》きさ	体長《たいちょう》2.5㎝
■生息地《せいそくち》	中央《ちゅうおう》アメリカから南《みなみ》アメリカにかけての森林《しんりん》	■とくちょう	水辺《みずべ》の植物《しょくぶつ》にうみつけた卵《たまご》に親《おや》がつきそって守《まも》る

クリオネは食事《しょくじ》のときに頭《あたま》がわれる

クリオネは、貝《かい》のなかまです。別名《べつめい》を「ハダカカメガイ」といい、子《こ》どものころはからがあります。

クリスタルのようにとうめいな体《からだ》と空《そら》を舞《ま》うように泳《およ》ぐすがたから「**流氷《りゅうひょう》の天使《てんし》**」ともよばれるほど、美《うつく》しい生《い》き物《もの》です。

ただし、**食事《しょくじ》のときは悪魔《あくま》の顔《かお》を見《み》せます**。大好物《だいこうぶつ》の小《ち》さな巻貝《まきがい》を見《み》つけると、**頭《あたま》のような部分《ぶぶん》がパカッと開《ひら》き6本《ぽん》の触手《しょくしゅ》が出《で》てきます**。このバッカルコーンと呼《よ》ばれる触手《しょくしゅ》でえものがにげられないようにがっちり体《からだ》を固定《こてい》したあと、からの中《なか》にいる本体《ほんたい》の養分《ようぶん》を**チューチューすって消化《しょうか》してしまう**のです。

プロフィール

腹足類《ふくそくるい》

- **名前《なまえ》**　ハダカカメガイ（クリオネ）
- **生息地《せいそくち》**　北半球《きたはんきゅう》の冷《つめ》たい海《うみ》
- **大《おお》きさ**　体長《たいちょう》2㎝
- **とくちょう**　翼足《よくそく》とよばれる足《あし》の一部《いちぶ》を使《つか》い、飛《と》ぶように泳《およ》ぐ

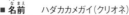

バビルサの角《つの》のように見《み》えるのは、上《うわ》あごの牙《きば》

自分《じぶん》、
インパクトで
勝負《しょうぶ》してるんで……

イノシシの武器《ぶき》といえば力強《ちからづよ》い4本《ほん》の牙《きば》ですが、バビルサの牙《きば》はただのかざりです。

かれらの牙《きば》はイノシシよりもはるかに長《なが》いのに、太《ふと》さはほぼ同《おな》じ。そのため強度《きょうど》がなく、おれやすいので、**武器《ぶき》としては役《やく》に立《た》ちません**。しかも上《うわ》あごの牙《きば》は、口《くち》の内側《うちがわ》に向《む》かってのび、**顔《かお》の肉《にく》をつきやぶっている**ため、とても痛《いた》そうです。

なぜこんな意味不明《いみふめい》な牙《きば》になったのかというと、**牙《きば》が長《なが》いとメスにモテる**からだとか。そのため、牙《きば》の短《みじか》いオスは子孫《しそん》を残《のこ》せず、不便《ふべん》な長《なが》い牙《きば》をもつオスばかりになったのでしょう。

プロフィール

ほ乳類《にゅうるい》

- ■**名前《なまえ》**　バビルサ
- ■**生息地《せいそくち》**　インドネシアの森林《しんりん》
- ■**大《おお》きさ**　体長《たいちょう》95cm
- ■**とくちょう**　全身《ぜんしん》にほとんど毛《け》が生《は》えていない

メガネザルは目玉《めだま》が大《おお》きすぎて動《うご》かせない

メガネザルの目玉《めだま》は、**ひとつで脳《のう》と同《おな》じくらいの重《おも》さ**があります。

でも、大《おお》きければ便利《べんり》というわけでもないようです。メガネザルの目《め》は頭《ず》がい骨《こつ》からはみ出《だ》すほど大《おお》きいため、目玉《めだま》をキョロキョロ動《うご》かせません。そのため**ちょっと横《よこ》を見《み》るのにも、わざわざ首《くび》を曲《ま》げなくてはならない**のです。

かれらの目玉《めだま》が大《おお》きくなったのは、昼《ひる》に活動《かつどう》していたサルが、夜《や》行性《こうせい》へと進化《しんか》したからともいわれます。暗《くら》い夜《よる》の森《もり》で物《もの》を見《み》るには、たくさんの光《ひかり》を集《あつ》められる目《め》が必要《ひつよう》で、**単純《たんじゅん》にどんどん目玉《めだま》が大《おお》きくなっていった結果《けっか》**が今《いま》のすがたというわけです。

プロフィール

ほ乳類《にゅうるい》

■**名前《なまえ》** フィリピンメガネザル

■**生息地《せいそくち》** フィリピンの森林《しんりん》

■**大《おお》きさ** 体長《たいちょう》12㎝

■**とくちょう** 木《き》から木《き》へと3mもジャンプする

ミズスマシの目《め》は、上《うえ》も下《した》も見《み》える。でも、前《まえ》は見《み》えない

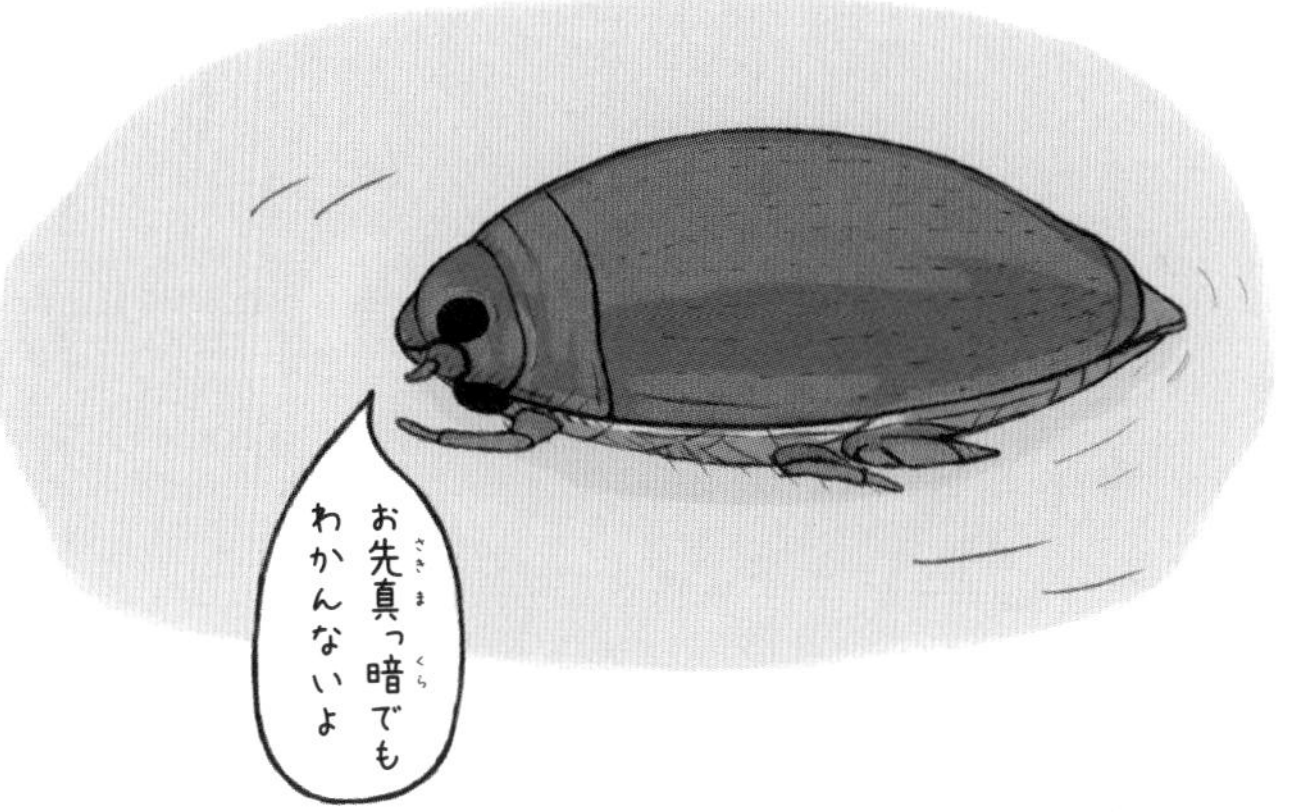

ミズスマシはアメンボのように水面《すいめん》をスイスイ移動《いどう》しながら、おぼれた昆虫《こんちゅう》などを食《た》べています。

水面《すいめん》でくらすかれらは、**鳥《とり》からも魚《さかな》からもねらわれる身《み》**。そこで空中《くうちゅう》と水中《すいちゅう》を同時《どうじ》に見《み》られるように、**目《め》が上下《じょうげ》に分《わ》かれて4つになりました**。そのため、**水中《すいちゅう》の敵《てき》に注意《ちゅうい》しながら水面《すいめん》に落《お》ちたえものを探《さが》す**、なんていうはなれわざもできてしまいます。

ただしこの目《め》、**前《まえ》は見《み》えません**。人間《にんげん》でいえば、つねによそ見《み》をしている状態《じょうたい》ですが、ミズスマシはくるくると円《えん》をえがきながら泳《およ》ぐため、実際《じっさい》はあまり不便《ふべん》ではないのかもしれません。

プロフィール

昆虫類《こんちゅうるい》

- **名前《なまえ》**　ミズスマシ
- **生息地《せいそくち》**　東《ひがし》アジアの池《いけ》や川《かわ》
- **大《おお》きさ**　体長《たいちょう》7㎜
- **とくちょう**　前足《まえあし》は長《なが》いが、ほかの足《あし》はとても短《みじか》い

フラミンゴの体《からだ》が赤《あか》いのは食《た》べ物《もの》のせい

長《なが》い足《あし》、くの字形《じがた》のくちばし、そしてきれいな赤《あか》い色《いろ》の羽《はね》がフラミンゴのとくちょうです。

でも、じつは**うまれたばかりのヒナは真《ま》っ白《しろ》**で、大《おお》きくなるにつれて少《すこ》しずつ赤《あか》くなっていくのです。赤《あか》くなるひみつは、両親《りょうしん》から口移《くちうつ》しでもらう**フラミンゴミルクという赤《あか》い液体《えきたい》**。この液体《えきたい》にふくまれるカロテンという色素《しきそ》が羽《はね》を色《いろ》づかせるのです。

ぎゃくに、両親《りょうしん》のほうはヒナに色素《しきそ》をあげてしまうため、だんだんと白《しろ》くなります。**フラミンゴの世界《せかい》では白《しろ》い羽《はね》はモテないらし**く、子育《こそだ》てのあとは、カロテンをふくむ藍藻《らんそう》※をせっせと食《た》べて必死《ひっし》に羽《はね》の色《いろ》を元《もと》にもどします。

プロフィール

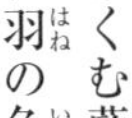

鳥《ちょう》類《るい》

- **名前《なまえ》**　コフラミンゴ
- **生息地《せいそくち》**　アフリカからインドにかけての湖《みずうみ》や海岸《かいがん》
- **大《おお》きさ**　全長《ぜんちょう》85cm
- **とくちょう**　片足《かたあし》をおりたたんで、一本足《いっぽんあし》で休《やす》む

※植物《しょくぶつ》のように光合成《こうごうせい》をして酸素《さんそ》をうみ出《だ》す細菌《さいきん》

カブトガニの脳《のう》みそはドーナツ形《がた》

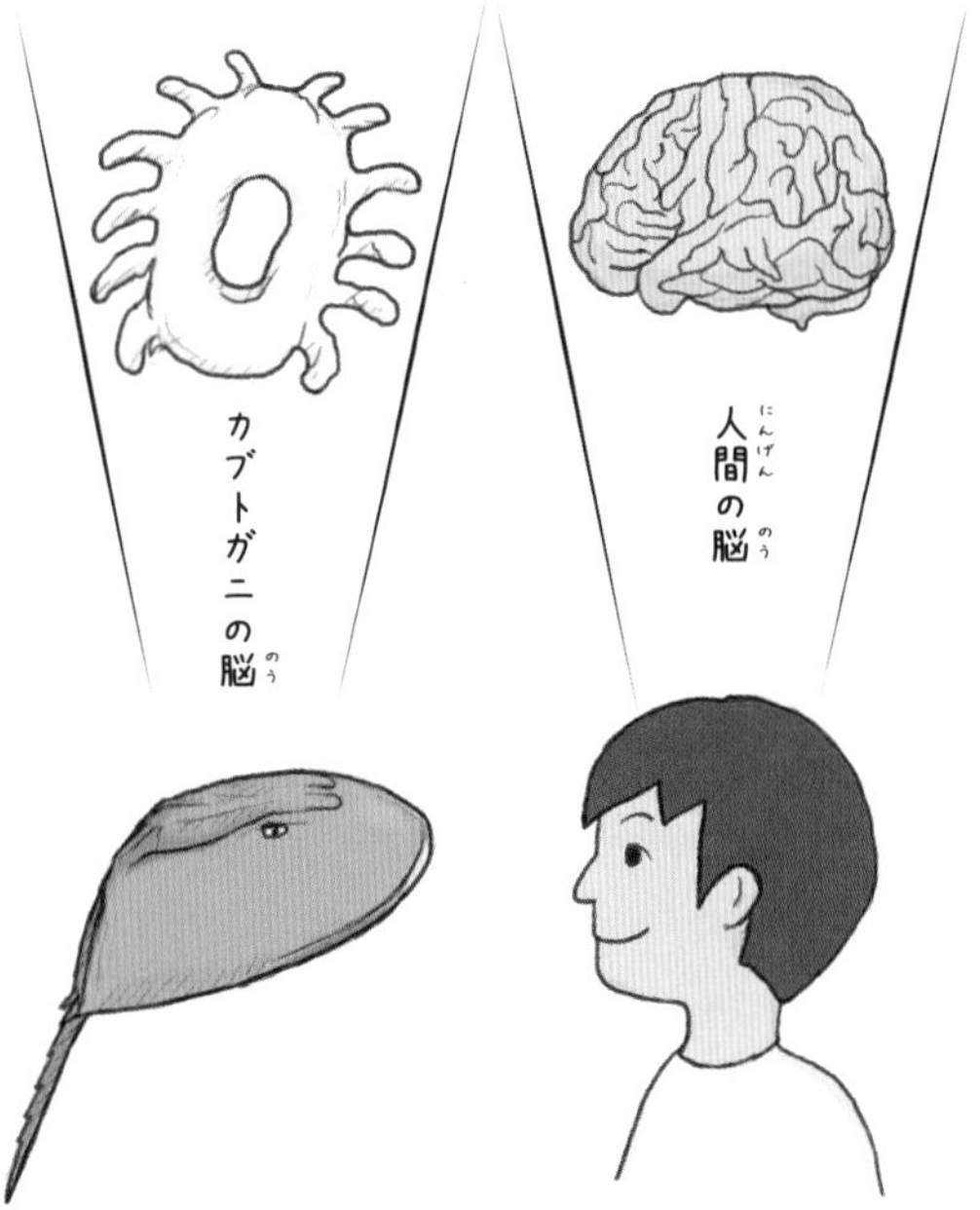

カブトガニはカニのなかまではなく、クモやサソリに近《ちか》い生《い》き物《もの》です。背中《せなか》をじょうぶなからでおおわれているため大《おお》きく見《み》えますが、ひっくり返《かえ》すとスカスカで、足《あし》しかないように見《み》えます。

内部《ないぶ》のつくりも変《か》わっており、なぜか**脳《のう》が口《くち》のすぐ下《した》にあります**。さらに**脳《のう》の真《ま》ん中《なか》には食道《しょくどう》が通《とお》っている**ため、ドーナツ形《がた》をしています。そもそも口《くち》も足《あし》のつけ根《ね》にあり、もはやどこまでが頭《あたま》なのかすらはっきりしません。

ちなみに**血液《けつえき》の色《いろ》は青《あお》**で、ばい菌《きん》に敏感《びんかん》に反応《はんのう》するため、これを利用《りよう》してばい菌《きん》がいるかどうか検《けん》査《さ》する薬《くすり》がつくられています。

プロフィール

鋏角類《きょうかくるい》

- **名前《なまえ》** カブトガニ
- **生息地《せいそくち》** アジアの浅《あさ》い海《うみ》
- **大《おお》きさ** 全長《ぜんちょう》65cm
- **とくちょう** 8万《まん》個《こ》も卵《たまご》をうむ

ユカタンビワハゴロモの頭《あたま》の中《なか》はからっぽ

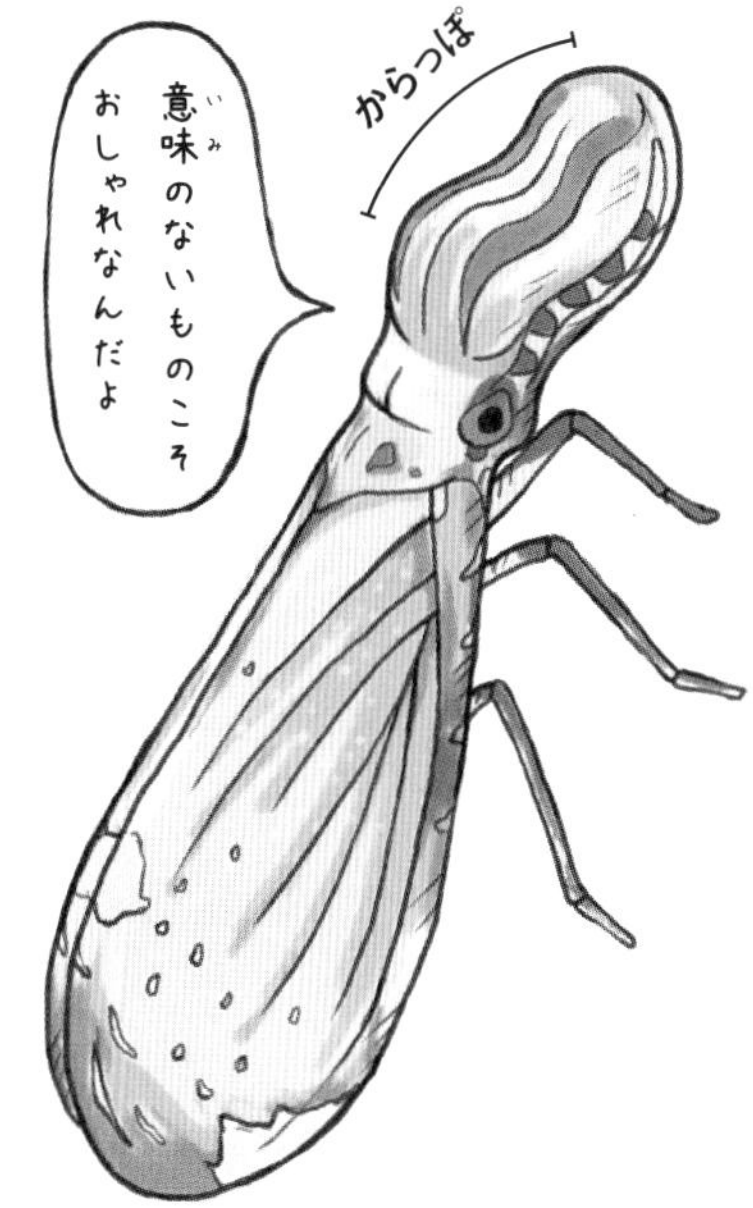
からっぽ
意味《いみ》のないものこそおしゃれなんだよ

　ユカタンビワハゴロモはカメムシのなかまです。落花生《らっかせい》のからのような頭《あたま》がありますが、**これはにせもの。**中《なか》には何《なに》も入《はい》っていません。本物《ほんもの》の頭《あたま》はもっと後《うし》ろです。

　にせものの頭《あたま》は**横《よこ》から見《み》るとワニの頭《あたま》に見《み》えなくもない**ため、鳥《とり》などがこわがるという説《せつ》があります。また、**本物《ほんもの》の頭《あたま》を守《まも》るためのおとり**という意見《いけん》もあるようです。しかし実際《じっさい》はどちらも目立《めだ》った効果《こうか》はないのだとか。

　何《なに》も考《かんが》えていない状態《じょうたい》のことを「頭《あたま》がからっぽ」ということがありますが、もしかするとユカタンビワハゴロモも、とくに効果《こうか》など考《かんが》えていないのかもしれません。

プロフィール

昆虫類《こんちゅうるい》

■**名前《なまえ》**	ユカタンビワハゴロモ	■**大《おお》きさ**	体長《たいちょう》7㎝
■**生息地《せいそくち》**	北《きた》アメリカから中央《ちゅうおう》アメリカにかけての森林《しんりん》	■**とくちょう**	おどろくと後《うし》ろ羽《ばね》を開《ひら》いて目《め》玉《だま》のようなもようを見《み》せる

サイの角《つの》は、ただのいぼ

なんでみんな
イボが好《す》きなんだろう

サイの角《つの》は昔《むかし》から工芸品《こうげいひん》や漢方《かんぽう》薬《やく》の材料《ざいりょう》として、お金持《かねも》ちにたいへん人気《にんき》でした。とても高《たか》く売《う》れることから、多《おお》くのハンターが角《つの》を目当《めあ》てにサイを狩《か》りつくし、**今《いま》では世界《せかい》に5種類《しゅるい》いるサイのすべてが絶滅《ぜつめつ》の危機《きき》**にあります。

そんなサイの角《つの》ですが、正体《しょうたい》は皮《ひ》ふの一部《いちぶ》がかたくなったもの。つまり、**ただのいぼ**です。シカやウシの角《つの》のようにカルシウムでできたものではなく、髪《かみ》の毛《け》や爪《つめ》と同《おな》じ「ケラチン」という成分《せいぶん》でできています。

ありがたがって漢方薬《かんぽうやく》にしても、**そのへんのおじさんの爪《つめ》をせんじて飲《の》むのと大差《たいさ》ありません。**

プロフィール

ほ乳類《にゅうるい》

■**名前《なまえ》** クロサイ
■**生息地《せいそくち》** アフリカのサバンナ
■**大《おお》きさ** 体長《たいちょう》3.4m
■**とくちょう** 体全体《からだぜんたい》をよろいのようなぶ厚《あつ》い皮《ひ》ふでおおっている

イッカクの角《つの》は、じつは前歯《まえば》

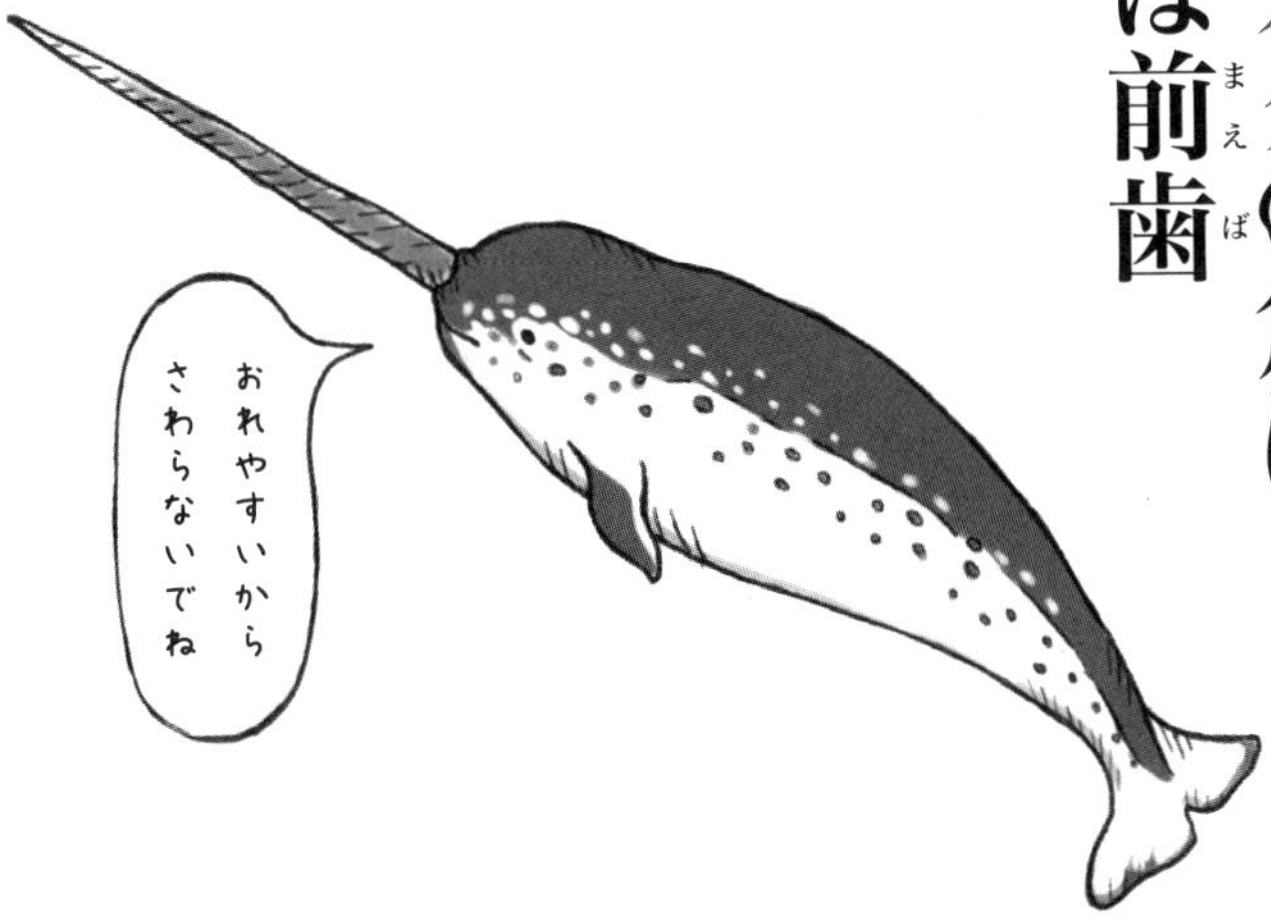
おれやすいから
さわらないでね

イッカクは、漢字《かんじ》で「一角《いっかく》（1本《ぽん》の角《つの》）」と書《か》きます。その名《な》のとおり、とてもりりしい見《み》た目《め》ですが、じつはこれ、角《つの》ではなく牙《きば》。**左《ひだり》の前歯《まえば》が３ｍくらい長《なが》くのびてしまった**のです。さらに口《くち》をとじるために、**上《うわ》くちびるをつきやぶっている**という不便《ふべん》さです。

この牙《きば》はオス特有《とくゆう》のもので、メスにはありません。オスは繁殖期《はんしょくき》になると、たがいに牙《きば》をふり上《あ》げてメスに求愛《きゅうあい》します。そしてメスは、**どっちの牙《きば》が長《なが》いか**で相手《あいて》を選《えら》ぶようです。

つまり、イッカクの世界《せかい》では、出《で》っ歯《ぱ》なほどモテまくり、ハーレム※を形成《けいせい》しやすくなるのです。

プロフィール

ほ乳類《にゅうるい》

- ■名前《なまえ》　イッカク
- ■生息地《せいそくち》　北極圏《ほっきょくけん》の海《うみ》
- ■大《おお》きさ　体長《たいちょう》4.4m
- ■とくちょう　年《とし》を取《と》ると体《からだ》が白《しろ》くなる

※1ぴきのオスが複数《ふくすう》のメスを独占《どくせん》すること

オオアタマガメは頭《あたま》が大《おお》きすぎて、こうらに入《はい》らない

カメのこうらはかたくて重《おも》いので、動《うご》きはゆっくりですが、**防御《ぼうぎょ》力《りょく》はばつぐん**。中《なか》にとじこもれば、たいていの敵《てき》の攻撃《こうげき》をやりすごせます。世界《せかい》に300種類《しゅるい》ものカメがいることを考《かんが》えると、この方法《ほうほう》はわりと有効《ゆうこう》なのでしょう。

　ところが、オオアタマガメは大《おお》きな頭《あたま》のわりに、こうらが平《ひら》べったいため、**頭《あたま》をかくすことができません**。また、カメにしては尾《お》もやけに長《なが》く、もはや**かくれる気《き》ゼロ**です。

　一方《いっぽう》で、こうらが軽《かる》いためか、動《うご》きはとてもすばやく、**木《き》にも登《のぼ》れます**。カメらしさを全力《ぜんりょく》で拒否《きょひ》しているカメなのです。

プロフィール

は虫類《ちゅうるい》

■ **名前《なまえ》**　オオアタマガメ

■ **生息地《せいそくち》**　中国南部《ちゅうごくなんぶ》からインドシナ半《はん》島《とう》にかけての渓流《けいりゅう》

■ **大《おお》きさ**　こうらの長《なが》さ17㎝

■ **とくちょう**　尾《お》の力《ちから》が強《つよ》く枝《えだ》などに巻《ま》きつけることができる

オオアリクイは爪《つめ》が大《おお》きすぎて、上手《じょうず》に歩《ある》けない

オオアリクイには歯《は》がありません。そのかわりに超高速《ちょうこうそく》で動《うご》く長《なが》い舌《した》をもっていて、**1日《にち》に3万匹《まんびき》ものシロアリを食《た》べる**ことができます。

シロアリを食《た》べるには、石《いし》のようにかたいかれらの巣《す》をこわさなければなりませんが、そのときに役立《やくだ》つのが、前足《まえあし》の大《おお》きな爪《つめ》。

この爪《つめ》は大《おお》きすぎるため、歩《ある》こうとすると、**運動会《うんどうかい》の行進《こうしん》のように足先《あしさき》を高《たか》くあげる**必要《ひつよう》があります。でも、それだと大切《たいせつ》な食事道具《しょくじどうぐ》をおってしまうかもしれません。そのため、前足《まえあし》をにぎって爪《つめ》を内側《うちがわ》にたたみ、こぶしで**地面《じめん》をなぐるように歩《ある》く**のです。

プロフィール

ほ乳類《にゅうるい》

■名前《なまえ》	オオアリクイ	■大《おお》きさ	体長《たいちょう》1.1m
■生息地《せいそくち》	中央《ちゅうおう》アメリカから南《みなみ》アメリカにかけての草原《そうげん》や湿地《しっち》	■とくちょう	母親《ははおや》は子《こ》どもを背中《せなか》にのせて運《はこ》ぶ

クラゲは口《くち》と肛門《こうもん》がいっしょ

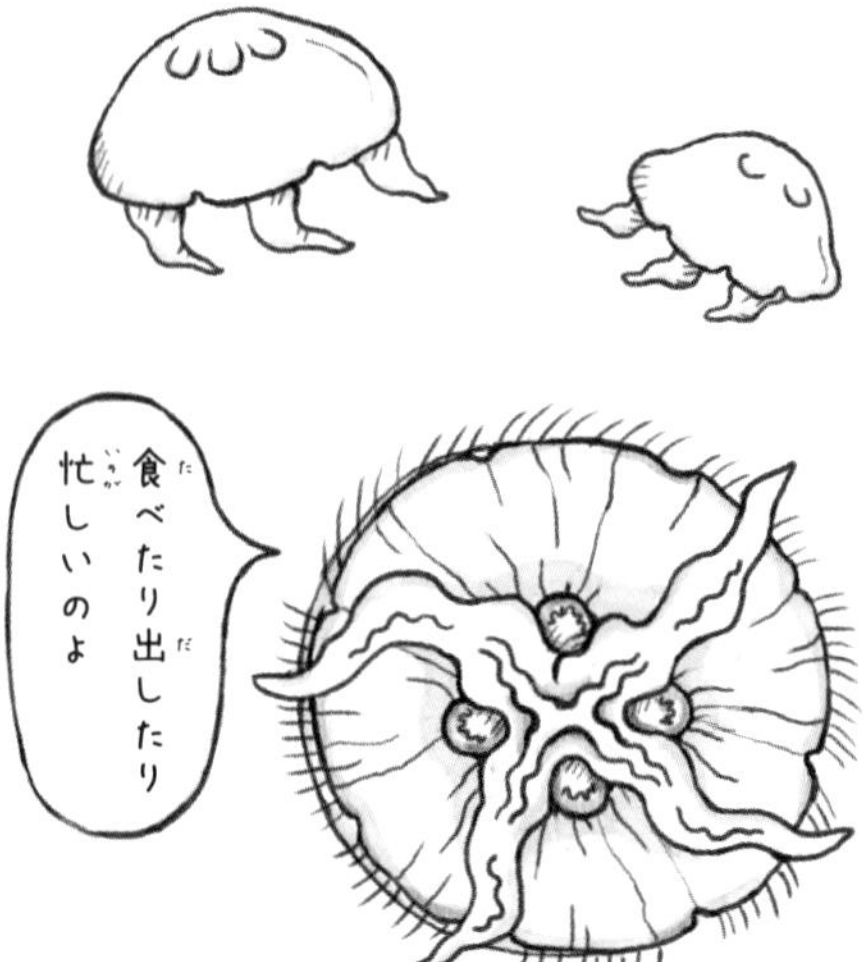

　のんびり水中《すいちゅう》をただよっているクラゲですが、毒《どく》のある触手《しょくしゅ》をもつ種《しゅ》もいます。強《つよ》いものだと**数分《すうふん》で人《ひと》を死《し》にいたらしめる**ため、うかつに近《ちか》よってはいけません。
　クラゲは触手《しょくしゅ》でえものをさして弱《よわ》らせてから、ゆっくりと口《くち》に運《はこ》びます。口《くち》に入《い》れたえものは、体内《たいない》で消化吸収《しょうかきゅうしゅう》され、食《た》べかすはふたたび口《くち》から外《そと》に出《だ》します。
　これは人間《にんげん》でいえば、**食《た》べたものを胃《い》の中《なか》でうんこにして、口《くち》からはき出《だ》している**ようなもの。クラゲには脳《のう》がないため、味覚《みかく》もなさそうですが、おそろしいことに**口《くち》のまわりでしっかり味《あじ》を感《かん》じている**ようです。

プロフィール

クラゲ類《るい》

■**名前《なまえ》**　ミズクラゲ
■**生息地《せいそくち》**　世界中《せかいじゅう》の海《うみ》
■**大《おお》きさ**　かさの直径《ちょっけい》30㎝
■**とくちょう**　かさに4つの生殖腺《せいしょくせん》があり、ヨツメクラゲともよばれる

ヒトデは胃袋《いぶくろ》を口《くち》から出《だ》して食事《しょくじ》する

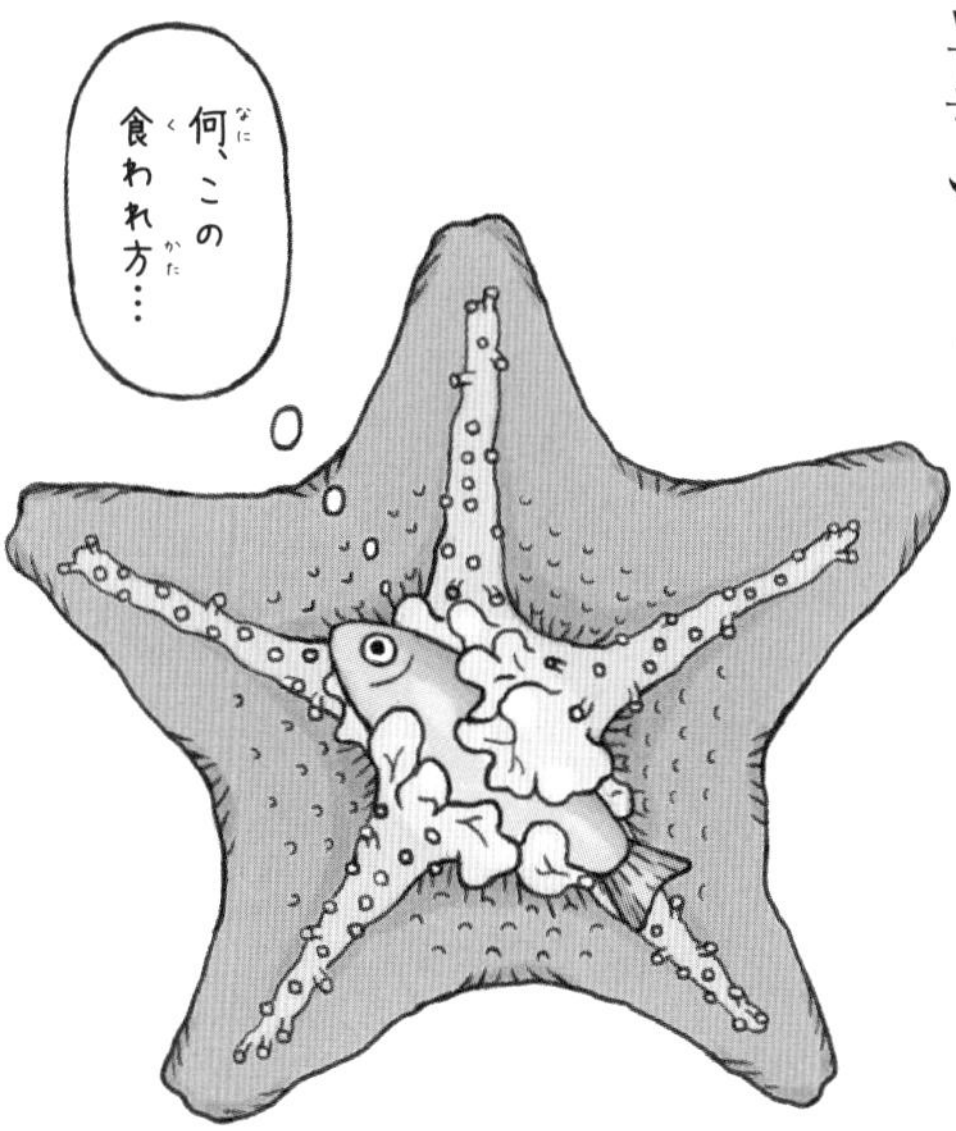

ヒトデの体《からだ》は平《ひら》べったく、かたい皮《ひ》ふでおおわれているため、あまり大《おお》きなえものはのみこめません。**いつもベルトできつくおなかをしめつけられている**ようなものなのです。

そこでヒトデは、たくさん食《た》べるために口《くち》から**胃《い》をはき出《だ》して消《しょう》化《か》する方法《ほうほう》**をあみ出《だ》しました。かれらはえものをとらえると、口《くち》からはき出《だ》した胃袋《いぶくろ》をおし当《あ》てます。そして、**体《からだ》の外《そと》で胃液《いえき》を出《だ》して消化《しょうか》吸収《きゅうしゅう》**するわけです。

これは再生能力《さいせいのうりょく》が異常《いじょう》に高《たか》いヒトデならではの力業《ちからわざ》で、体外《たいがい》に出《だ》した胃《い》が傷《きず》ついてもしばらくすれば治《なお》ってしまいます。

プロフィール

ヒトデ類《るい》

- ■ **名前《なまえ》**　イトマキヒトデ
- ■ **生息地《せいそくち》**　朝鮮半島《ちょうせんはんとう》と日本《にほん》の浅《あさ》い海《うみ》
- ■ **大《おお》きさ**　腕《うで》の長《なが》さ6㎝
- ■ **とくちょう**　体《からだ》を少《すこ》し持《も》ちあげてすきまをつくりエビなどをおびきよせる

雨《あめ》の日《ひ》が続《つづ》くとミユビナマケモノは餓《が》死《し》する

ミユビナマケモノのポリシーは**とにかく体力《たいりょく》を使《つか》わないこと**。一《いち》日中《にちじゅう》ほとんど動《うご》かず、木《き》の上《うえ》でじーっとしています。食事《しょくじ》も、**木《こ》の葉《は》を1日《にち》に1枚《まい》か2枚《まい》食《た》べる**ていど。体《からだ》の動《うご》きだけでなく内臓《ないぞう》も省《しょう》エネなので、**消化《しょうか》に数週間《すうしゅうかん》かかる**こともあります。さらにほ乳類《にゅうるい》のくせに体温調節機能《たいおんちょうせつきのう》も省《しょう》エネで、**気温《きおん》によって体温《たいおん》が変動《へんどう》**します。

そのため、雨《あめ》が続《つづ》いて気温《きおん》が下《さ》がると、体温《たいおん》も下《さ》がって内臓《ないぞう》が働《はたら》かなくなります。すると、いくら食《た》べても消化《しょうか》ができず、**おなかいっぱいなのに「餓死《がし》」**なんてことにもなるのです。こうなると、もはやなんのための省《しょう》エネなのかわかりません。

プロフィール

ほ乳類《にゅうるい》

■名前《なまえ》　ノドチャミユビナマケモノ
■生息地《せいそくち》　中央《ちゅうおう》アメリカから南《みなみ》アメリカにかけての森林《しんりん》
■大《おお》きさ　体長《たいちょう》60cm
■とくちょう　週《しゅう》に1回《かい》だけ、うんこをするため木《き》からおりる

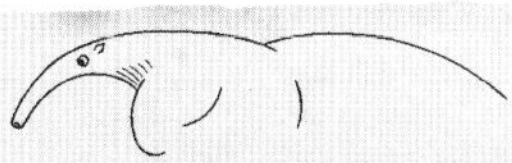

ざんねん度《ど》

スズメバチの成虫《せいちゅう》は幼虫《ようちゅう》から食《た》べ物《もの》をもらう

スズメバチは、ほかの昆虫《こんちゅう》をしとめると、**肉団子《にくだんご》のように丸《まる》めて巣《す》に運《はこ》びます**。しかしこれは、幼虫《ようちゅう》にあたえる食《た》べ物《もの》。成虫《せいちゅう》が食《た》べるのは、幼虫《ようちゅう》が口《くち》から出《だ》すドロドロした液体《えきたい》なのです。

こんなものを成虫《せいちゅう》が食《た》べるのは、胸《むね》とおなかの間《あいだ》が異常《いじょう》にくびれているためです。これは、**毒針《どくばり》のついたおしりを自由自在《じゆうじざい》に動《うご》かすために細《ほそ》くなった**のですが、それと引《ひ》きかえに固形物《こけいぶつ》が通《とお》らなくなりました。そのため成虫《せいちゅう》は、**幼虫《ようちゅう》から栄養液《えいようえき》をもらって命《いのち》をつないでいる**のです。

これではどちらがおとなかわかりませんね。

プロフィール

昆虫類《こんちゅうるい》

■**名前《なまえ》**　オオスズメバチ
■**生息地《せいそくち》**　アジアの森林《しんりん》
■**大《おお》きさ**　体長《たいちょう》3.2㎝（働《はたら》きバチ）
■**とくちょう**　地中《ちちゅう》や木《き》の空洞《くうどう》に巨大《きょだい》な巣《す》をつくる

オサガメは口《くち》の中《なか》がとげだらけ

は虫類《ちゅうるい》のなかで、**カメだけは歯《は》が生《は》えていません。**オサガメにも歯《は》はありませんが、口《くち》を開《あ》けると、**無数《むすう》のとげがびっしりとのどに生《は》えています。**

オサガメは世界一《せかいいち》大《おお》きいカメで、こうらの長《なが》さは最大《さいだい》で約《やく》1・9m、体重《たいじゅう》は1t《トン》近《ちか》くにもなります。この大《おお》きな体《からだ》をたもつために、**1日《にち》に100kgほどのクラゲを食《た》べる**こともあります。

食事《しょくじ》に役立《やくだ》つのが、のどのとげ。海水《かいすい》ごとクラゲを丸《まる》のみにしたあと、海水《かいすい》だけをはき出《だ》します。このとき**クラゲもいっしょにはき出《だ》さないようにとげが引《ひ》っかかりとなっている**のです。

プロフィール

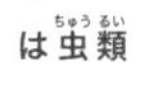

は虫類《ちゅうるい》

■ **名前《なまえ》**　オサガメ
■ **生息地《せいそくち》**　熱帯《ねったい》から温帯《おんたい》にかけての海《うみ》
■ **大《おお》きさ**　こうらの長《なが》さ1.9m（最大《さいだい》）
■ **とくちょう**　こうらが皮《ひ》ふでおおわれている

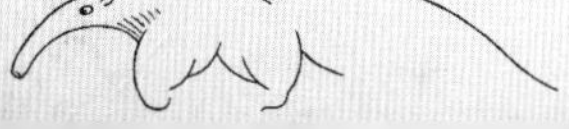

ウマノオバチの産卵管《さんらんかん》は長《なが》すぎてじゃま

ウマノオバチは、体長《たいちょう》の10倍近《ばいちか》い長《なが》さの尾《お》をもっています。じつはこれ、尾《お》ではなく、木《き》の幹《みき》の中《なか》にひそむ**カミキリムシの幼虫《ようちゅう》に卵《たまご》をうみつけるための産卵管《さんらんかん》**です。ウマノオバチは寄生《きせい》バチの一種《いっしゅ》で、その幼虫《ようちゅう》はカミキリムシの幼《よう》虫《ちゅう》を食《た》べて育《そだ》つのです。

メスの産卵管《さんらんかん》はサナギの時期《じき》にのびてきますが、長《なが》すぎる産卵管《さんらんかん》のせいで**脱皮《だっぴ》するのも飛《と》ぶのもひと苦労《くろう》**です。当然《とうぜん》、**バッチリ目立《めだ》つ**ので、敵《てき》にもすぐに見《み》つかってしまいます。このように悪《わる》いことずくめのせいか、ウマノオバチはかなり**数《かず》の少《すく》ない激《げき》レア昆虫《こんちゅう》**なのです。

プロフィール

昆虫類《こんちゅうるい》

- **名前《なまえ》** ウマノオバチ
- **生息地《せいそくち》** 日本《にほん》と台湾《たいわん》の森林《しんりん》
- **大《おお》きさ** 体長《たいちょう》2㎝
- **とくちょう** 産卵管《さんらんかん》は死《し》ぬとぐるぐる巻《ま》きになる

タカアシガニは足《あし》が長《なが》すぎて、脱皮中《だっぴちゅう》に死《し》ぬこともある

タカアシガニは**足《あし》を広《ひろ》げると3mにもなる世界最大《せかいさいだい》のカニ**。

いかにもじょうぶそうですが、カニなどの**節足動物《せっそくどうぶつ》には骨《ほね》がなく、かたい皮《ひ》ふで体《からだ》をささえているだけ**。そのため大型《おおがた》になるほど体《からだ》をささえるのがむずかしく、ダイオウグソクムシやイセエビなど、巨大《きょだい》な節足動物《せっそくどうぶつ》は体《からだ》がうきやすい海《うみ》の中《なか》にしかいません。

節足動物《せっそくどうぶつ》が成長《せいちょう》するには、脱皮《だっぴ》をする必要《ひつよう》があります。タカアシガニは足《あし》が長《なが》すぎるので、脱皮《だっぴ》するのも命《いのち》がけ。水族館《すいぞくかん》では**脱皮《だっぴ》に6時間《じかん》かかったという記録《きろく》**もあり、脱皮《だっぴ》に失敗《しっぱい》して力《ちから》つきることもあるようです。

プロフィール

甲殻類《こうかくるい》

■**名前《なまえ》**　タカアシガニ
■**生息地《せいそくち》**　日本《にほん》と台湾周辺《たいわんしゅうへん》の深海底《しんかいてい》
■**大《おお》きさ**　はさみ足《あし》を広《ひろ》げると3m
■**とくちょう**　幼《よう》ガニは全身細《ぜんしんこま》かい毛《け》におおわれている

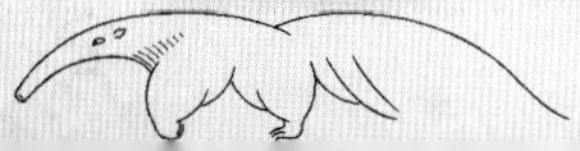

オオハムは足《あし》があるのに歩《ある》けない

足《あし》って歩《ある》くためにあるの？
ずり
ずり
ずり
ずり

オオハムは潜水《せんすい》が得意《とくい》で、水深《すいしん》50mくらいまでもぐることができます。首《くび》をのばしてつばさをたたみ、水《みず》のていこうを少《すく》なくして、高速《こうそく》で進《すす》むそのすがたは、ロケットのようです。

そのかわり、**陸上《りくじょう》の移動《いどう》は超苦手《ちょうにがて》**。アヒルのようなよちよち歩《ある》きもできません。足《あし》で体《からだ》をささえられないため、**アザラシのように腹《はら》ばいで移動《いどう》する**しかないのです。

そんなオオハムですが、ちゃんと飛《と》べます。しかし歩《ある》くのが苦手《にがて》なので、陸上《りくじょう》からは飛《と》び立《た》てず、羽《はね》をばたつかせながら**水《みず》の上《うえ》を思《おも》いっきり助走《じょそう》するという忍者《にんじゃ》のような動《うご》き**をしないと飛《と》べません。

プロフィール

鳥類《ちょうるい》

■**名前《なまえ》**　シロエリオオハム
■**生息地《せいそくち》**　北太平洋《きたたいへいよう》の沿岸域《えんがんいき》
■**大《おお》きさ**　全長《ぜんちょう》65㎝
■**とくちょう**　小魚《こざかな》よりもさらにすばやく泳《およ》げる

カカポは太《ふと》りすぎて飛《と》べなくなった

ニュージーランドやその周辺《しゅうへん》の島《しま》には、**100万年《まんねん》ものあいだ、カカポの天敵《てんてき》となる生物《せいぶつ》がいません**でした。そのためかれらの祖先《そせん》は、豊富《ほうふ》な木《き》の実《み》を好《す》きなだけ食《た》べることができたのです。

その結果《けっか》、カカポは全長《ぜんちょう》60㎝、体重《たいじゅう》4㎏にもなる巨大《きょだい》な鳥《とり》になりました。しかも、**飛《と》ぶための筋肉《きんにく》は退化《たいか》し、かわりについたのが、たくさんの脂肪《しぼう》**です。

ところが、人間《にんげん》が島《しま》にネコやオコジョなどの敵《てき》を持《も》ちこむと、事態《じたい》は急変《きゅうへん》。飛《と》べないカカポは敵《てき》におそわれても、せいぜい**うずくまることくらいしかできず、**今《いま》や絶滅《ぜつめつ》の危機《きき》にあります。

プロフィール

鳥類《ちょうるい》

■**名前《なまえ》**　カカポ

■**生息地《せいそくち》**　ニュージーランドの森林《しんりん》

■**大《おお》きさ**　全長《ぜんちょう》60㎝

■**とくちょう**　オスが一カ所《いっかしょ》に集《あつ》まり求愛《きゅうあい》し、メスが相手《あいて》を選《えら》ぶ

ダイオウホウズキイカの世界《せ》一《かいいち》大《おお》きい目《め》は意外《いがい》と役《やく》に立《た》たない

だってしょうが
ないじゃないイカ

ダイオウホウズキイカは**世界一《せかいいち》重《おも》いイカ**で、ダイオウイカより大《おお》きくなる可能性《かのうせい》もあります。

その目玉《めだま》は直径《ちょっけい》27㎝もあり、あらゆる動物《どうぶつ》のなかで最大《さいだい》。**バスケットボールよりも巨大《きょだい》**です。この巨大《きょだい》な目《め》は、マッコウクジラなどの天敵《てんてき》からにげるために使《つか》うと考《かんが》えられています。かれらは水中《すいちゅう》に無数《むすう》にただよう光《ひか》るプランクトンの動《うご》きの変化《へんか》をとらえて、敵《てき》の接近《せっきん》を感《かん》じとるのです。

一方《いっぽう》で、ダイオウホウズキイカのすむ深海《しんかい》は太陽《たいよう》の光《ひかり》が届《とど》かないため、**物《もの》の形《かたち》はわかりません**。おまけにひどい遠視《えんし》で、**近《ちか》くのものはほとんど見《み》えていない**のです。

プロフィール

頭足類《とうそくるい》

■**名前《なまえ》** ダイオウホウズキイカ

■**生息地《せいそくち》** 南極圏《なんきょくけん》の深海《しんかい》

■**大《おお》きさ** 胴《どう》の長《なが》さ8m

■**とくちょう** うでに吸盤《きゅうばん》が変形《へんけい》したかぎ爪《づめ》がある

ゾウの歯《は》は、年《とし》を取《と》るとすりへってなくなる

ゾウには2本《ほん》の長《なが》い牙《きば》（前歯《まえば》）のほかに、奥歯《おくば》が上下《じょうげ》に12本《ほん》ずつあります。しかし奥歯《おくば》はとても大《おお》きく、**口《くち》の中《なか》には上下《じょうげ》2本《ほん》ずつしか生《は》えてきません**。使《つか》っている歯《は》がすりへると、ホッチキスの針《はり》のように次《つぎ》の歯《は》が奥《おく》から水平《すいへい》に移動《いどう》してきて、前《まえ》の歯《は》と入《い》れかわるのです。そのため、ゾウの奥歯《おくば》は、**一生《いっしょう》のうちに5回《かい》も生《は》えかわります**。

しかしそれでも足《た》りません。ゾウは植物食《しょくぶつしょく》ですが、樹皮《じゅひ》や小枝《こえだ》など、かたいものもよく食《た》べます。しかも、**1日《にち》に食《た》べる量《りょう》は200kg**。このため60年《ねん》ほどですべてすりへり、最後《さいご》は何《なに》も食《た》べられなくなって餓死《がし》するのです。

プロフィール

ほ乳類《にゅうるい》

- **名前《なまえ》**　アフリカゾウ
- **生息地《せいそくち》**　アフリカのサバンナ
- **大《おお》きさ**　体長《たいちょう》6.8m
- **とくちょう**　ほ乳類《にゅうるい》のなかで最《もっと》もにおいに敏感《びんかん》

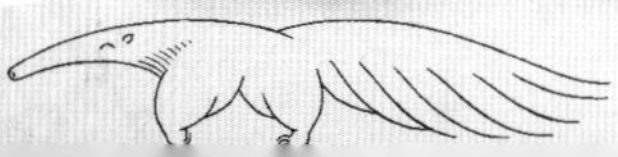

ザリガニは食《た》べ物《もの》で体《からだ》の色《いろ》が変《か》わる

アメリカザリガニといえば、赤《あか》いイメージですが、じつは**若《わか》いときはグレーで、大《おお》きくなるにしたがって赤《あか》く変化《へんか》**します。

また、環境《かんきょう》にも敏感《びんかん》です。水質《すいしつ》がアルカリ性《せい》だったり、まわりの色《いろ》が明《あか》るかったりすると体色《たいしょく》はうすくなり、ぎゃくに酸性《さんせい》だったり暗《くら》かったりすると体色《たいしょく》はこくなります。

かれらの体《からだ》の色《いろ》は**カロテンという色素《しきそ》**でつくられており、水草《みずくさ》やヨコエビなどの食《た》べ物《もの》から取《と》り入《い》れています。そのためアジやイワシなどカロテンをふくまないものだけを食《た》べていると、**赤《あか》みがうすれて青《あお》くなり、最終的《さいしゅうてき》には色《いろ》がぬけて白《しろ》くなってしまう**のです。

プロフィール

甲殻類《こうかくるい》

- **名前《なまえ》**　アメリカザリガニ
- **生息地《せいそくち》**　北《きた》アメリカ南部《なんぶ》の池《いけ》や川《かわ》
- **大《おお》きさ**　体長《たいちょう》12cm
- **とくちょう**　腹部《ふくぶ》をおり曲《ま》げて後《うし》ろにジャンプしてにげる

進化《しんか》の劇場《げきじょう》

1 ゾウの鼻《はな》が長《なが》いわけ

あたくし、ゾウと申《もう》します。
ちょっとあなた、この鼻《はな》がどんなにすごいかごぞんじ？
まず、そこらへんのイヌの
２・５倍《ばい》もの嗅覚《きゅうかく》でにおいをかげましてよ。
それから、３００kgくらいなら
よゆうで持《も》ち上《あ》げられますわ。
ぎゃくにピーナツくらい小《ちい》さいものを
つまむこともできてよ。
けどね、あたくしたち昔《むかし》から

こんな長《なが》い鼻《はな》だったわけじゃありませんの。
こんな説《せつ》があるのだけど、聞《き》いてくださる?

大《おお》きくなりたい!
だって大《おお》きいほうが強《つよ》いもん
それはむかしの動物《どうぶつ》たちの夢《ゆめ》。
ゾウの祖先《そせん》のメリテリウムも気《き》づけば巨大化《きょだいか》していた。
どーん
でも、大《おお》きいのがいいとはかぎらなかった!
のぼれない
ううっ
しゃがめない
そこにぐうぜん…
少《すこ》しだけ鼻《はな》の長《なが》いゾウがうまれ、その子孫《しそん》が増《ふ》えていったとさ。
なんか便利《べんり》~♪

な方《かた》

第《だい》3章《しょう》

ざんねん生《い》き

この章《しょう》では、「もっとラクな生《い》き方《かた》があるんじゃない？」と、おせっかいを焼《や》きたくなるような生《い》き物《もの》たちをご紹介《しょうかい》します。

パラパラ劇場《げきじょう》

おや？
ミノムシがぶら下《さ》がっているぞ

ヤブイヌのメスは逆立《さかだ》ちでおしっこをする

つかれるけど、やめらんない

熱帯雨林《ねったいうりん》にすむヤブイヌのメスは、なわばりを主張《しゅちょう》するため木《き》などにおしっこをかけて回《まわ》ります。

このときとても大切《たいせつ》なのが、**おしっこをかける位置《いち》**。これが高《たか》いほど体《からだ》が大《おお》きいと思《おも》われ、なわばり争《あらそ》いで有利《ゆうり》になるようです。そこで歴代《れきだい》のヤブイヌたちは、より高《たか》みを目指《めざ》して試行錯誤《しこうさくご》し、ついに**逆立《さかだ》ちでおしっこをするというスタイル**にたどり着《つ》きました。

今《いま》ではどのヤブイヌも逆立《さかだ》ちでおしっこをしています。**もはや体《からだ》の大《おお》きさは関係《かんけい》ありません**が、高《たか》いところにかけなければ元気《げんき》がないと思《おも》われてしまうので、やはり逆立《さかだ》ちせざるをえないのです。

プロフィール

ほ乳類《にゅうるい》

- ■名前《なまえ》　ヤブイヌ
- ■生息地《せいそくち》　南《みなみ》アメリカの森林《しんりん》
- ■大《おお》きさ　体長《たいちょう》65㎝
- ■とくちょう　前《まえ》を向《む》いたまま、高速《こうそく》でバック走行《そうこう》できる

カンガルーの赤《あか》ちゃんは口《くち》と乳首《ちくび》がはなれない

すわない自由《じゆう》も
ほしいな

カンガルーはわずか数《すう》cmの小《ちい》さな赤《あか》ちゃんをうみ、袋《ふくろ》の中《なか》で育《そだ》てます。**カンガルーの体《からだ》にはおへそがない**ため、お母《かあ》さんのおなかの中《なか》で栄養《えいよう》をもらえないからです。

うまれたばかりの赤《あか》ちゃんは、自力《じりき》で袋《ふくろ》に入《はい》ると、中《なか》にある乳首《ちくび》をくわえます。すると、**乳首《ちくび》の先《さき》がぷくっとふくらみ、口《くち》からはずれなくなります**。赤《あか》ちゃんが成長《せいちょう》して口《くち》を大《おお》きく開《あ》けられるようになるまで、強制的《きょうせいてき》に乳首《ちくび》をくわえさせられたままになるのです。

袋《ふくろ》から出《で》ることも身動《みうご》きもできないので、**うんこもおしっこもたれ流《なが》し**ですが、なんと母親《ははおや》が顔《かお》をつっこんで食《た》べてしまいます。

プロフィール

ほ乳類《にゅうるい》

■**名前《なまえ》**　アカカンガルー
■**生息地《せいそくち》**　オーストラリアの平原《へいげん》
■**大《おお》きさ**　体長《たいちょう》1.2m
■**とくちょう**　繁殖期《はんしょくき》、オスはメスをめぐって後《うし》ろ足《あし》でけりあう

アライグマは食《た》べ物《もの》をあらわない

水辺《みずべ》で食《た》べ物《もの》をあらうようなしぐさをすることから「アライグマ」という名前《なまえ》がつけられました。

でも、**じつはこれ、とんだかんちがい**なのです。アライグマは目《め》が悪《わる》いため、えものをつかまえるときは前足《まえあし》を水《みず》につっこみ、石《いし》の下《した》などを手探《てさぐ》りで探《さが》します。そのようすが、まるであらっているように見《み》えるだけなのです。

ただし、動物園《どうぶつえん》などで飼育《しいく》されているアライグマは、必要《ひつよう》ないのに食《た》べ物《もの》をよく水《みず》であらいます。その理由《りゆう》はよくわかっていませんが、**ヒマすぎてやることがないから**、というのがおおむね有力《ゆうりょく》な説《せつ》のようです。

プロフィール

ほ乳《にゅう》類《るい》

■名前《なまえ》　アライグマ
■生息地《せいそくち》　北《きた》アメリカから中央《ちゅうおう》アメリカにかけての森林《しんりん》
■大《おお》きさ　体長《たいちょう》50cm
■とくちょう　指《ゆび》が長《なが》くて手先《てさき》をとても器《き》用《よう》に使《つか》う

トガリネズミは3時間《じかん》食《た》べないだけでうえ死《じ》にする

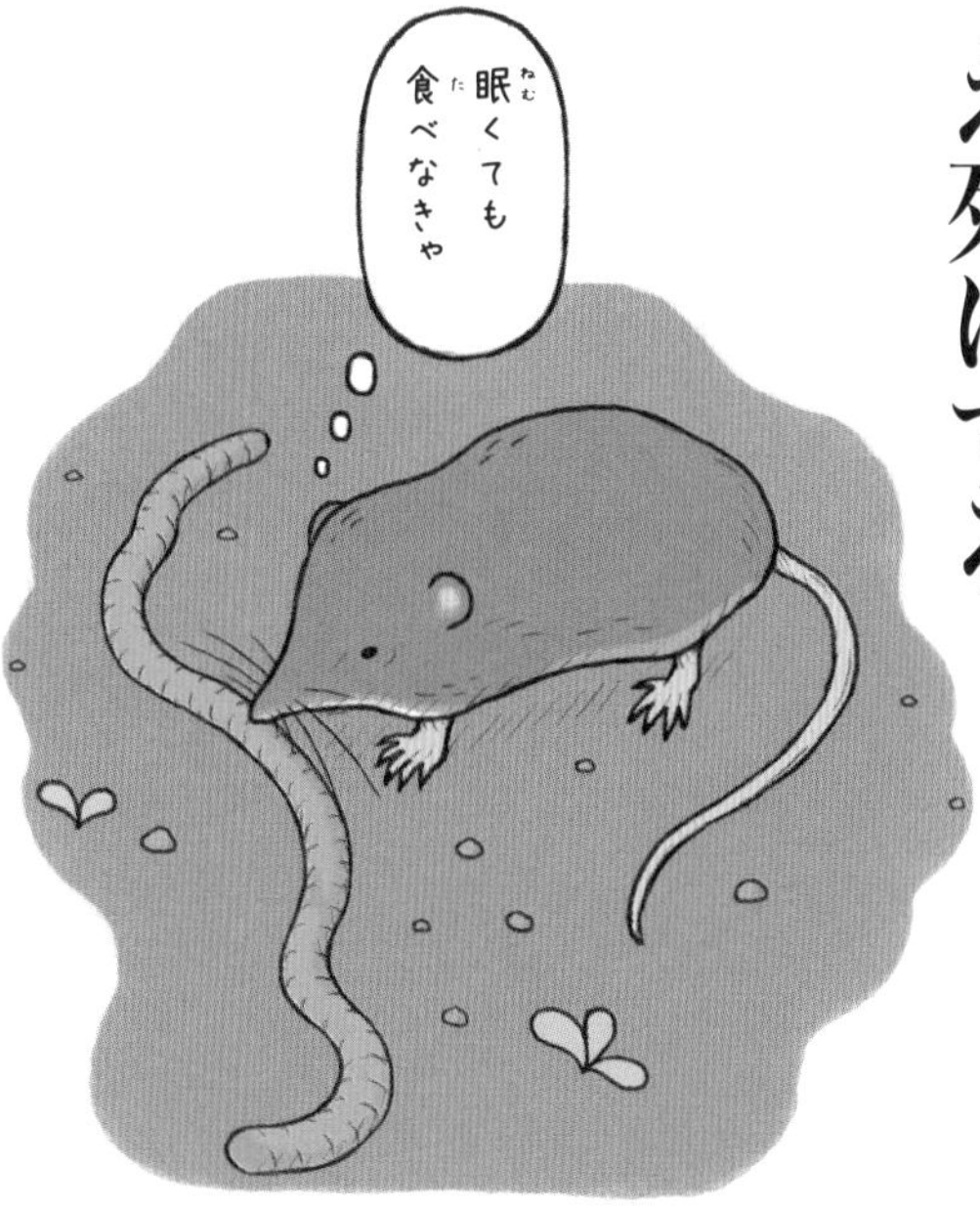

トガリネズミは**ほ乳類《にゅうるい》のなかで最《もっと》も体《からだ》が小《ちい》さいグループ**のひとつで、最小《さいしょう》だと体重《たいじゅう》1・5g、**1円《えん》玉《だま》1枚半《まいはん》ほどの重《おも》さです。**

トガリネズミは**気温《きおん》の影響《えいきょう》をものすごく受《う》けます。**心臓《しんぞう》などの体《からだ》の機能《きのう》を働《はたら》かせるためには、体温《たいおん》を一定《いってい》にたもつ必要《ひつよう》がありますが、体《からだ》が小《ちい》さい生《い》き物《もの》ほど気温《きおん》の変化《へんか》に左右《さゆう》され、少《すこ》し寒《さむ》くなっただけでもすぐに体温《たいおん》が下《さ》がってしまうのです。

そのためトガリネズミは、体温《たいおん》をたもつためにカロリーをとり続《つづ》ける必要《ひつよう》があり、**30分《ぷん》おきに食事《しょくじ》と休息《きゅうそく》をくり返《かえ》すという、せわしない生活《せいかつ》をしているのです。**

プロフィール

ほ乳類《にゅうるい》

■**名前《なまえ》**　チビトガリネズミ
■**生息地《せいそくち》**　ユーラシア北部《ほくぶ》の草地《くさち》
■**大《おお》きさ**　体長《たいちょう》4.7㎝
■**とくちょう**　鉄分《てつぶん》がふくまれているため歯《は》が赤《あか》い

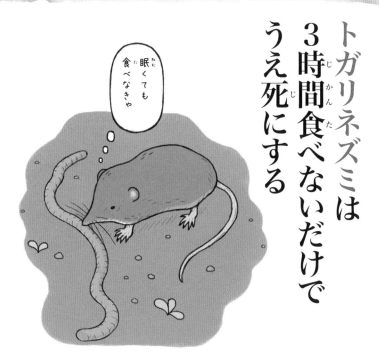

コウテイペンギンは2か月《げっ》間《かん》、足《あし》の上《うえ》で卵《たまご》を温《あたた》め続《つづ》ける

コウテイペンギンは冬《ふゆ》になると南極大陸《なんきょくたいりく》の海岸《かいがん》から100㎞も歩《ある》き、**マイナス60℃にもなる極寒《ごっかん》の氷原《ひょうげん》で産卵《さんらん》**します。

卵《たまご》を温《あたた》めるのはオスの役目《やくめ》です。メスがうんだ卵《たまご》をオスは足《あし》の上《うえ》にのせますが、そこは冬《ふゆ》の南《なん》極《きょく》。**うっかり卵《たまご》を落《お》とすと一瞬《いっしゅん》で凍《こお》ってしまいます**。また、無事《ぶじ》に卵《たまご》を受《う》け取《と》っても、寒《さむ》さに体《からだ》をよせ合《あ》っているあいだに、**はずみで卵《たまご》を落《お》としてしまう**オスもめずらしくありません。

こうしてオスは、メスが海《うみ》で食《た》べ物《もの》をとってくるまでの2か月《げっ》間《かん》、**何《なに》も食《た》べず、寒《さむ》さにたえて、じっと卵《たまご》を温《あたた》め続《つづ》ける**のです。

プロフィール

- **名前《なまえ》** コウテイペンギン
- **生息地《せいそくち》** 南極周辺《なんきょくしゅうへん》の氷原《ひょうげん》
- **大《おお》きさ** 全長《ぜんちょう》1.2m
- **とくちょう** 泳《およ》ぐのが得意《とくい》で、水深《すいしん》500mまでもぐれる

鳥類《ちょうるい》

ミツクリエナガチョウチンアンコウのオスはメスのいぼになる

深海《しんかい》は生《い》き物《もの》が少《すく》なく、オスとメスが出会《であ》うのはとても大変《たいへん》。そのためミツクリエナガチョウチンアンコウのオスは、メスに出会《であ》うと体《からだ》にかみついてくっつきます。一見《いっけん》ラブラブですが、オスの皮《ひ》ふや血管《けっかん》はメスと合体《がったい》し、**最終的《さいしゅうてき》にメスのいぼのような存在《そんざい》になる**という過酷《かこく》な運命《うんめい》が待《ま》っています。

もちろん、ただのいぼになるわけではなく、メスの体内《たいない》に精子《せいし》を送《おく》って子《こ》づくりを行《おこな》う、大切《たいせつ》な役《やく》目《め》があります。しかし**メスは複数《ふくすう》のオスを体《からだ》にくっつける**ため、自《じ》分《ぶん》の精子《せいし》が受精《じゅせい》しなかったら、**やっぱりただのいぼとして一生《いっしょう》を終《お》える**ことになるのです。

プロフィール

硬骨魚類《こうこつぎょるい》

■**名前《なまえ》**　ミツクリエナガチョウチンアンコウ
■**生息地《せいそくち》**　熱帯《ねったい》から亜熱帯《あねったい》の深海《しんかい》
■**大《おお》きさ**　全長《ぜんちょう》 40㎝（メス）
■**とくちょう**　光《ひか》るアンテナでえものをおびきよせる

ナマコは敵《てき》におそわれると内臓《ないぞう》をはき出《だ》す

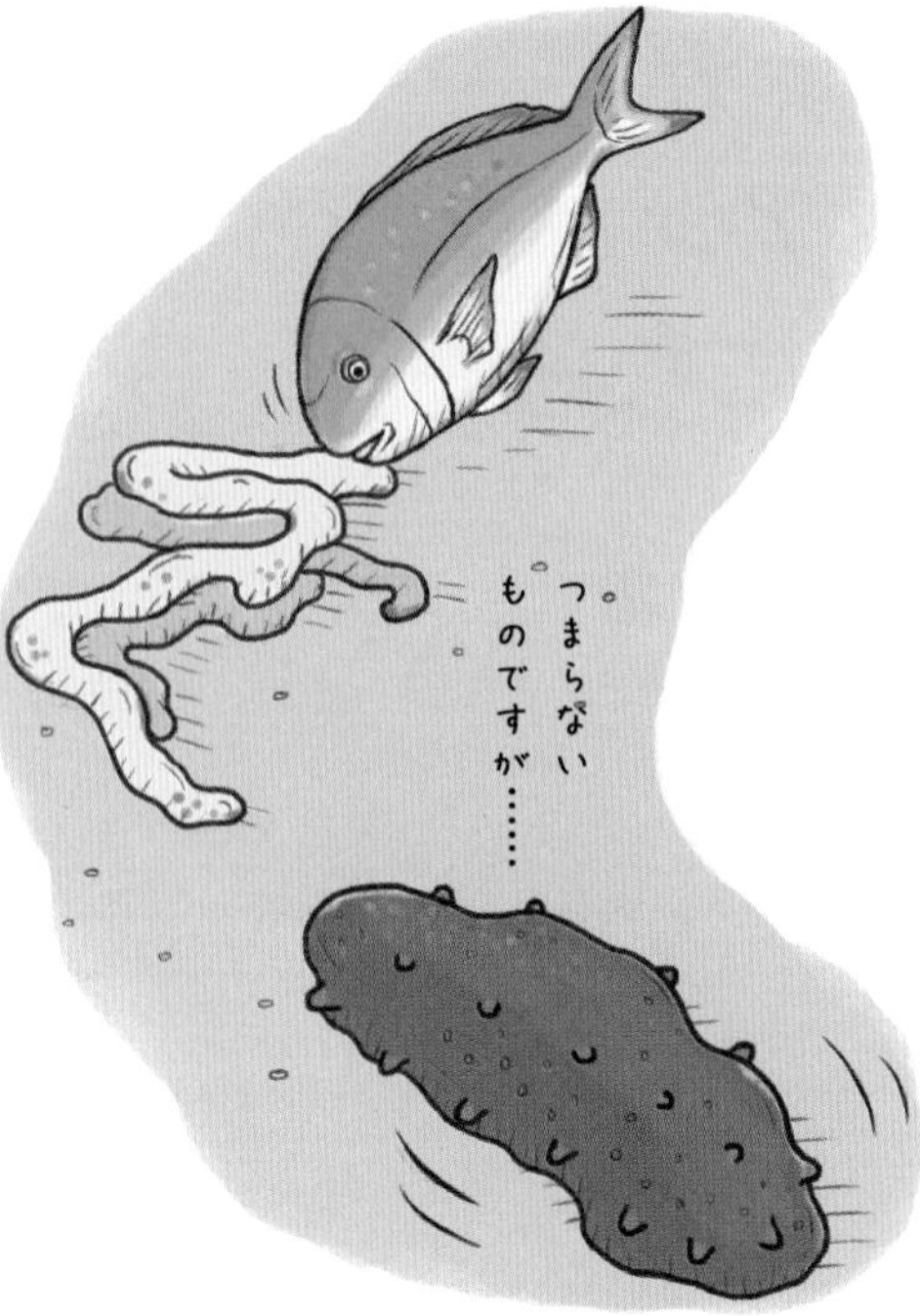

ナマコの体《からだ》にはサポニンという毒《どく》があります。そのため海底《かいてい》で無《む》防備《ぼうび》に寝《ね》そべっていても、あまりおそわれることはありません。

ところが、まれに魚《さかな》などにおそわれることがあります。そんなときナマコは、内臓《ないぞう》をはき出《だ》します。びっくりしすぎたわけではなく、**あえて内臓《ないぞう》を敵《てき》に食《た》べさせることで命《いのち》だけは見《み》のがしてもらう作戦《さくせん》**なのでしょう。ナマコは再生能力《さいせいのうりょく》が高《たか》いため、食《た》べられた内臓《ないぞう》は2か月《げつ》ほどで再生《さいせい》します。

ナマコの種類《しゅるい》によっては、この内臓《ないぞう》がねばねばと敵《てき》の体《からだ》にまとわりつくなど、**嫌《いや》がらせをしかけるタイプ**もいるそうです。

プロフィール

ナマコ類《るい》

■**名前《なまえ》** マナマコ

■**生息地《せいそくち》** 東《ひがし》アジアの海底《かいてい》

■**大《おお》きさ** 体長《たいちょう》20㎝

■**とくちょう** 体《からだ》の色《いろ》が青《あお》いもの、赤《あか》いもの、黒《くろ》いものがいる

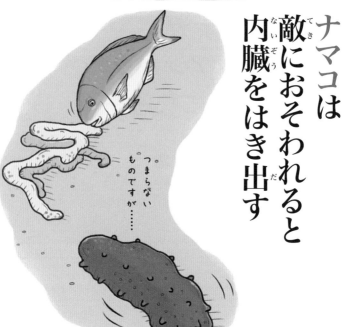

スカンクはおならがくさいほどモテる

くさいの基準《きじゅん》って、
それぞれちがうよね

ものすごくくさいおならをすることで有名《ゆうめい》なスカンクですが、これは本当《ほんとう》のおならではありません。おしりにある「しゅうせん」から発射《はっしゃ》される液体《えきたい》なのです。

そのにおいは、**1kmはなれた場《ば》所《しょ》でもにおうほど強烈《きょうれつ》。体《からだ》につくと1週間《しゅうかん》以《い》上《じょう》取《と》れない**ため、くささを知《し》っている動物《どうぶつ》は決《けっ》してスカンクをおそいません。

ところが、スカンク自身《じしん》はこのにおいを好《す》きなようで、オスとメスは、おしりのにおいをかぎあってから交尾《こうび》します。子《こ》どもの「おなら」がくさいほど武器《ぶき》として役《やく》立《だ》つため、**よりくさい相手《あいて》を選《えら》んでいる**のでしょう。

プロフィール

ほ乳類《にゅうるい》

■名前《なまえ》　シマスカンク
■生息地《せいそくち》　北《きた》アメリカの森林《しんりん》
■大《おお》きさ　体長《たいちょう》33cm
■とくちょう　おならを発射《はっしゃ》する前《まえ》には、逆《さか》立《だ》ちをして警告《けいこく》する

エリマキトカゲはえりまきを広《ひろ》げていかくするが、効果《こうか》がないと二本足《にほんあし》でにげ出《だ》す

退散《たいさん》!!
③にげる！
ダッ

①いかくする
あれ？効《き》いてない…

エリマキトカゲは、ふだん木《き》の上《うえ》でくらしていますが、昆虫《こんちゅう》や小《こ》型《がた》のトカゲを食《た》べるため、地上《ちじょう》におりることもあります。そのとき天敵《てんてき》であるワシやヘビにおそわれると、後《うし》ろ足《あし》で立《た》ち上《あ》がり、**グワッとえりまきを大《おお》きく広《ひろ》げていかくする**のです。

しかし、ほとんどの場合《ばあい》、**敵《てき》はまったくひるみません**。すると、エリマキトカゲはくるりと後《うし》ろをふり返《かえ》り、安全《あんぜん》な木《き》のあるところまで全力《ぜんりょく》で走《はし》ってにげます。

そのあまりにユーモラスな行動《こうどう》がウケたのか、80年代《ねんだい》には砂漠《さばく》を全力疾走《ぜんりょくしっそう》するすがたが自動車《じどうしゃ》のCMに使《つか》われ、**空前《くうぜん》のエリマキトカゲブーム**が巻《ま》き起《お》こりました。

プロフィール

は虫類《ちゅうるい》

- ■名前《なまえ》　エリマキトカゲ
- ■生息地《せいそくち》　オーストラリアとニューギニアの森林《しんりん》
- ■大《おお》きさ　全長《ぜんちょう》75㎝
- ■とくちょう　首《くび》のまわりにえりまき状《じょう》の皮《ひ》ふがある

ウサギは自分《じぶん》のうんこを肛門《こうもん》から直《じか》に食《た》べる

究極《きゅうきょく》のエコじゃない？
もぐもぐ
もぐもぐ

ウサギは、自分《じぶん》のうんこを食《た》べます。それも**おしりに口《くち》をつけて直《じか》にいく**のですから、なかなかのものです。

じつは、**うんこを食《た》べる動物《どうぶつ》はほかにもいます。**植物《しょくぶつ》だけを食《た》べる動物《どうぶつ》の胃腸《いちょう》の中《なか》には、植物《しょくぶつ》を分《ぶん》解《かい》するバクテリア※がすんでいますが、植物《しょくぶつ》を分解《ぶんかい》してたくさんふえたバクテリアは、うんこといっしょに出《で》てきます。これをふたたび食《た》べると、タンパク質《しつ》などの栄《えい》養《よう》がとれるのです。

ちなみに、ふつうのうんこは色《いろ》がうすく、ぽろぽろしたつぶ状《じょう》ですが、**食《た》べる用《よう》のうんこはねっとりしていて黒豆《くろまめ》に似《に》ています。**

プロフィール

ほ乳類《にゅうるい》

- **名前《なまえ》** アナウサギ
- **生息地《せいそくち》** ヨーロッパからアフリカにかけての森林《しんりん》や草原《そうげん》
- **大《おお》きさ** 体長《たいちょう》43cm
- **とくちょう** あなをほるのが得意《とくい》

※細菌《さいきん》のこと。目《め》に見《み》えないほど小《ちい》さい

アリジゴクはいくら食《た》べてもうんこをしない

ひええええ
だってもったいないじゃん

アリジゴクは砂地《すなち》にすりばち状《じょう》の落《お》としあなをつくります。そしてえものが落《お》ちてくると、**消化液《しょうかえき》を流《なが》しこみ、体《からだ》の中身《なかみ》をドロドロにとかして食《た》べます。**

なんともおそろしい食《た》べ方《かた》ですが、こうした待《ま》ちぶせ型《がた》の狩《か》りは、えものにありつけない日《ひ》のほうが多《おお》いのです。そのため食《た》べたものをむだにしたくないのか、**アリジゴクはうんこをしません。**おしりのあなはほぼふさがっています。

しかし、体《からだ》の中《なか》にうんこがないわけではありません。かれらは成虫《せいちゅう》になると、**たまっていたうんこを出《だ》しきり、身軽《みがる》になってから空《そら》へと飛《と》び立《た》つ**のです。

プロフィール

昆虫類《こんちゅうるい》

- **名前《なまえ》**　ウスバカゲロウ（アリジゴクは幼虫《ようちゅう》のときの名前《なまえ》）
- **生息地《せいそくち》**　日本《にほん》の森林《しんりん》
- **大《おお》きさ**　前羽《まえばね》の長《なが》さ4cm
- **とくちょう**　アリジゴクは後《うし》ろにしか進《すす》めない

オオヨシキリはだまされてカッコウのヒナを育《そだ》てる

なんか
ぜんぜん
似《に》てないな……

カッコウは自分《じぶん》で子育《こそだ》てをしません。オオヨシキリなどが巣《す》をはなれたすきにこっそり産卵《さんらん》してどこかへ行《い》ってしまいます。

オオヨシキリは、自分《じぶん》の卵《たまご》といっしょにカッコウの卵《たまご》を温《あたた》めます。これだけならほほえましい話《はなし》ですが、カッコウのヒナは背中《せなか》にふれるものをおし出《だ》す習性《しゅうせい》があり、真《ま》っ先《さき》に卵《たまご》からかえると、**ほかの卵《たまご》を巣《す》から捨《す》ててしまいます。**こうしてカッコウはひとりっ子《こ》となり、食《た》べ物《もの》を独占《どくせん》。

何《なに》も知《し》らないオオヨシキリは自《じ》分《ぶん》の子《こ》どもたちを殺《ころ》されたあげく、**そのかたきであるカッコウのヒナをりっぱに育《そだ》て上《あ》げる**のです。

プロフィール

鳥類《ちょうるい》

■名前《なまえ》　オオヨシキリ

■生息地《せいそくち》　アフリカからユーラシアにかけての森林《しんりん》

■大《おお》きさ　全長《ぜんちょう》19㎝

■とくちょう　たまにカッコウの卵《たまご》を見《み》やぶることもある

バクダンオオアリは敵《てき》を追《お》いはらうために自《じ》爆《ばく》する

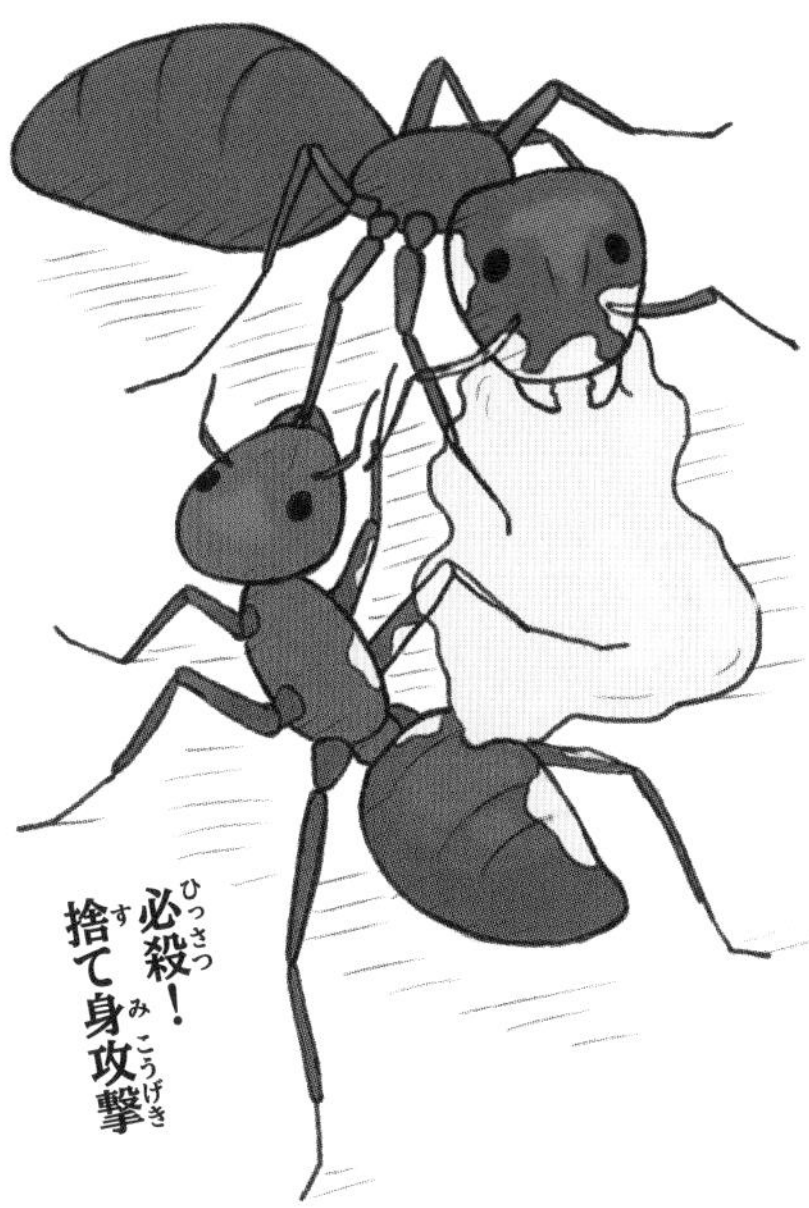

バクダンオオアリは、その名《な》のとおり「**爆弾《ばくだん》**」**をもっています。**頭《あたま》からおなかにかけて体《からだ》の中《なか》に毒《どく》液《えき》がパンパンに入《はい》った袋《ふくろ》がつまっていて、敵《てき》におそわれると、その袋《ふくろ》を爆発《ばくはつ》させて巣《す》を守《まも》るのです。

毒液《どくえき》はネバネバしているので、敵《てき》は体《からだ》の自由《じゆう》をうばわれ、毒《どく》をくらって死《し》んでしまいます。

しかし、**バクダンオオアリの方《ほう》も無事《ぶじ》ではありません。**おなかにあなが開《あ》いてしまうため、そのまま死《し》んでしまうのです。そのため、かれらが爆弾《ばくだん》を爆発《ばくはつ》させるのは、敵《てき》と戦《たたか》って負《ま》けそうになったときだけ。まさに**捨《す》て身《み》の秘密兵器《ひみつへいき》**なのですね。

プロフィール

昆虫類《こんちゅうるい》

■名前《なまえ》　バクダンオオアリ
■生息地《せいそくち》　マレーシア、ブルネイの森林《しんりん》
■大《おお》きさ　体長《たいちょう》6㎜
■とくちょう　毒液《どくえき》は、雨季《うき》は白《しろ》く乾季《かんき》はクリーム色《いろ》

カゲロウの成虫《せいちゅう》の寿命《じゅみょう》は2時間《じかん》

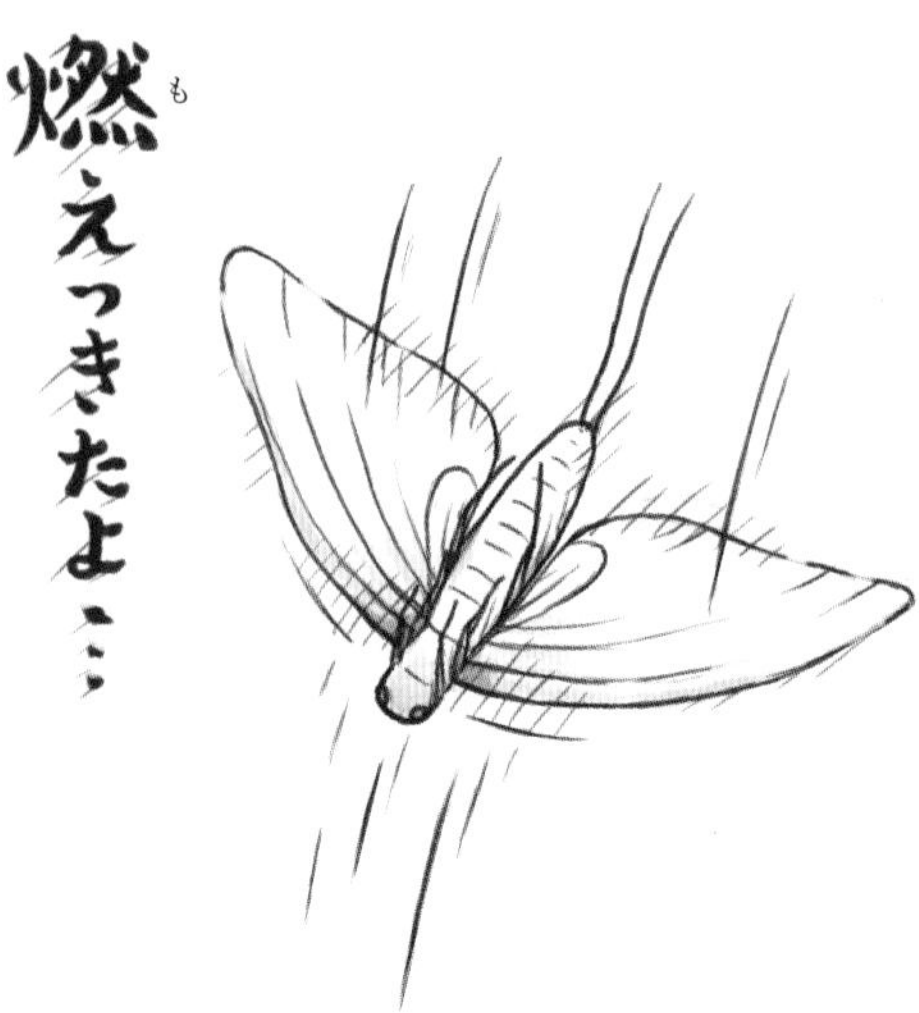

海《うみ》の上《うえ》などにうつるまぼろしをかげろうといいますが、そのまぼろしのようにはかない昆虫《こんちゅう》がカゲロウです。**成虫《せいちゅう》には口《くち》がないため、水《みず》すら飲《の》まず、**長《なが》いものでも一週間《いっしゅうかん》くらいで死《し》んでしまいます。

そんな短命《たんめい》のカゲロウのなかでも、とくに成虫期間《せいちゅうきかん》が短《みじか》いのがオオシロカゲロウです。**その命《いのち》は、なんと2時間《じかん》もありません。**

そのため、かれらはいっせいに羽化《うか》します。タイミングがずれると、**交尾《こうび》する前《まえ》に命《いのち》がつきてしまう**からです。ときには、大量発生《たいりょうはっせい》したオオシロカゲロウをふみつぶした車《くるま》がスリップして、交通事故《こうつうじこ》が起《お》きることもあります。

プロフィール

昆虫類《こんちゅうるい》

■**名前《なまえ》**　オオシロカゲロウ
■**生息地《せいそくち》**　東《ひがし》アジアの河川《かせん》
■**大《おお》きさ**　体長《たいちょう》1.5cm
■**とくちょう**　幼虫《ようちゅう》のときは川底《かわぞこ》でくらす

タマゴヘビは鳥《とり》の卵《たまご》しか食《た》べられない

これしか
食《た》べたくないの

毒牙《どくが》のないヘビはたくさんいますが、タマゴヘビは歯《は》が1本《ぽん》もありません。かれらは鳥《とり》の卵《たまご》が好《す》きすぎて、卵《たまご》を食《た》べるのに不要《ふよう》な歯《は》が退化《たいか》してしまいました。

では、**どうやって食事《しょくじ》をするのかというと、丸《まる》のみです**。のみこんだ卵《たまご》は、食道《しょくどう》を通《とお》るときにのどにある突起《とっき》でひびを入《い》れ、体《からだ》をよじって体内《たいない》でおしつぶします。そして中身《なかみ》だけを胃《い》に流《なが》しこみ、からは口《くち》からはき出《だ》します。

しかし鳥《とり》が卵《たまご》をうむ時期《じき》は、1年《ねん》のうち数《すう》か月《げつ》ていど。毒《どく》がなく戦闘力《せんとうりょく》も低《ひく》いタマゴヘビは、それ以外《いがい》の時期《じき》はひたすら**敵《てき》からにげ回《まわ》りながら、絶食《ぜっしょく》にたえます**。

プロフィール

は虫類《ちゅうるい》

- **名前《なまえ》**　アフリカタマゴヘビ
- **生息地《せいそくち》**　アフリカのサバンナや森林《しんりん》
- **大《おお》きさ**　全長《ぜんちょう》75㎝
- **とくちょう**　シューシューという音《おと》で敵《てき》をいかくする

ホッキョクジリスは 1年《ねん》の半分《はんぶん》以上《いじょう》寝《ね》ている

冬眠《とうみん》をする動物《どうぶつ》は四季《しき》のある地《ち》域《いき》にすむものばかりです。食《た》べ物《もの》がほとんどない冬《ふゆ》を眠《ねむ》ってすごし、エネルギーを節約《せつやく》しています。

ところがホッキョクジリスがくらすのは、一年中寒《いちねんじゅうさむ》い北極圏《ほっきょくけん》。そのため長《なが》いものだと**1年《ねん》のうち8か月《げつ》も巣《す》あなで冬眠《とうみん》**します。

思《おも》わず**動物界《どうぶつかい》の引《ひ》きこもり**とよびたくなりますが、実際《じっさい》は自分《じぶん》で食《た》べ物《もの》を集《あつ》めなければなりません。そのため、短《みじか》い夏《なつ》のあいだに出産《しゅっさん》と子育《こそだ》てをすませたあと、大急《おおいそ》ぎで巣《す》あなに食《た》べ物《もの》をためこみ冬《ふゆ》じたくを整《ととの》えます。見方《みかた》を変《か》えれば、**パパッと仕事《しごと》をかたづける優秀《ゆうしゅう》なビジネスマンタイプ**といえます。

プロフィール

ほ乳類《にゅうるい》

- **名前《なまえ》**　ホッキョクジリス
- **生息地《せいそくち》**　北極圏《ほっきょくけん》の草地《くさち》
- **大《おお》きさ**　体長《たいちょう》35㎝
- **とくちょう**　冬眠期間《とうみんきかん》がほ乳類《にゅうるい》のなかでいちばん長《なが》い

ホヤの子《こ》どもは泳《およ》げるが、おとなになると動《うご》けなくなる

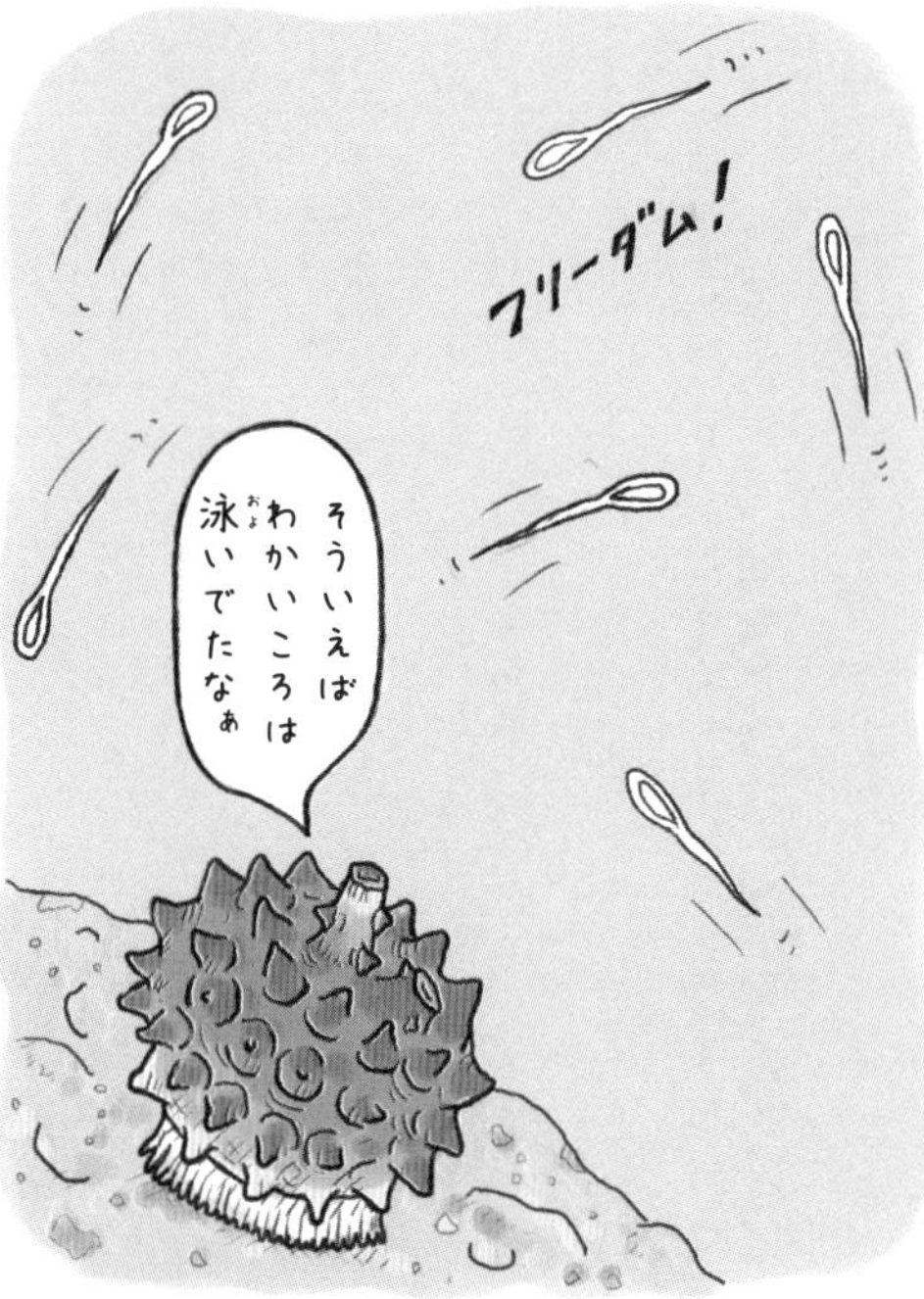
フリーダム!
そういえば
わかいころは
泳《およ》いでたなぁ

ホヤの赤《あか》ちゃんはオタマジャクシに似《に》ており、尾《お》をくねらせて泳《およ》ぐことができます。そして、落《お》ち着《つ》くのにいい感《かん》じの岩《いわ》などを見《み》つけると、そこに**出《で》っぱりを引《ひ》っかけて変態《へんたい》**※**する**のです。

変態《へんたい》しておとなになったホヤは、**岩《いわ》にはりついて二度《にど》と動《うご》きません**。つぼのような体《からだ》に海水《かいすい》をとりこみ、ひたすら栄養分《えいようぶん》をこしとることだけに一生《いっしょう》をささげます。

もともと泳《およ》げるのならば、ずっと泳《およ》いでいてもよさそうなものですが、**ホヤの赤《あか》ちゃんには口《くち》がありません**。そのため早《はや》く変態《へんたい》しておとなにならないと、うえ死《じ》にしてしまうのです。

プロフィール

ホヤ類《るい》

■**名前《なまえ》**　マボヤ
■**生息地《せいそくち》**　東《ひがし》アジアの沿岸域《えんがんいき》
■**大《おお》きさ**　体長《たいちょう》15㎝
■**とくちょう**　オスとメスの生殖器官《せいしょくきかん》を両《りょう》方《ほう》もつ、雌雄同体《しゆうどうたい》

※昆虫《こんちゅう》や甲殻類《こうかくるい》などが、すがたを変《か》えながら成長《せいちょう》する方法《ほうほう》

オポッサムは敵《てき》におそわれると死《し》んだふりをする

クマに出会《であ》ったら死《し》んだふりをするとおそわれない、というのは**よく知《し》られたウソ**ですが、キタオポッサムは、まじめにこれを生《い》き残《のこ》りの切《き》り札《ふだ》にしています。しかも、**かまれても反応《はんのう》しないうえに、くさったようなにおいまで出《だ》すという超本格派《ちょうほんかくは》！**　まさに見事《みごと》な死《し》にっぷりです。かれらの敵《てき》であるコヨーテやボブキャットはくさった肉《にく》があまり好《す》きではないため、相手《あいて》が死《し》んでいると思《おも》うと興《きょう》味《み》をなくしてしまうのです。

　ただし、**相手《あいて》のおなかが空《す》いているときはがっつり食《た》べられてしまいます**。本気《ほんき》で死《し》んだふりをしたら、本当《ほんとう》に死《し》んだ、というざんねんな結果《けっか》になってしまうのです。

プロフィール

ほ乳類《にゅうるい》

- **名前《なまえ》**　キタオポッサム
- **生息地《せいそくち》**　北《きた》アメリカの森林《しんりん》
- **大《おお》きさ**　体長《たいちょう》40㎝
- **とくちょう**　ほ乳類《にゅうるい》のなかで最《もっと》も多《おお》く子《こ》どもをうむ

オドリバエのオスがメスにあげるプレゼントは中身《なかみ》がからっぽなことがある

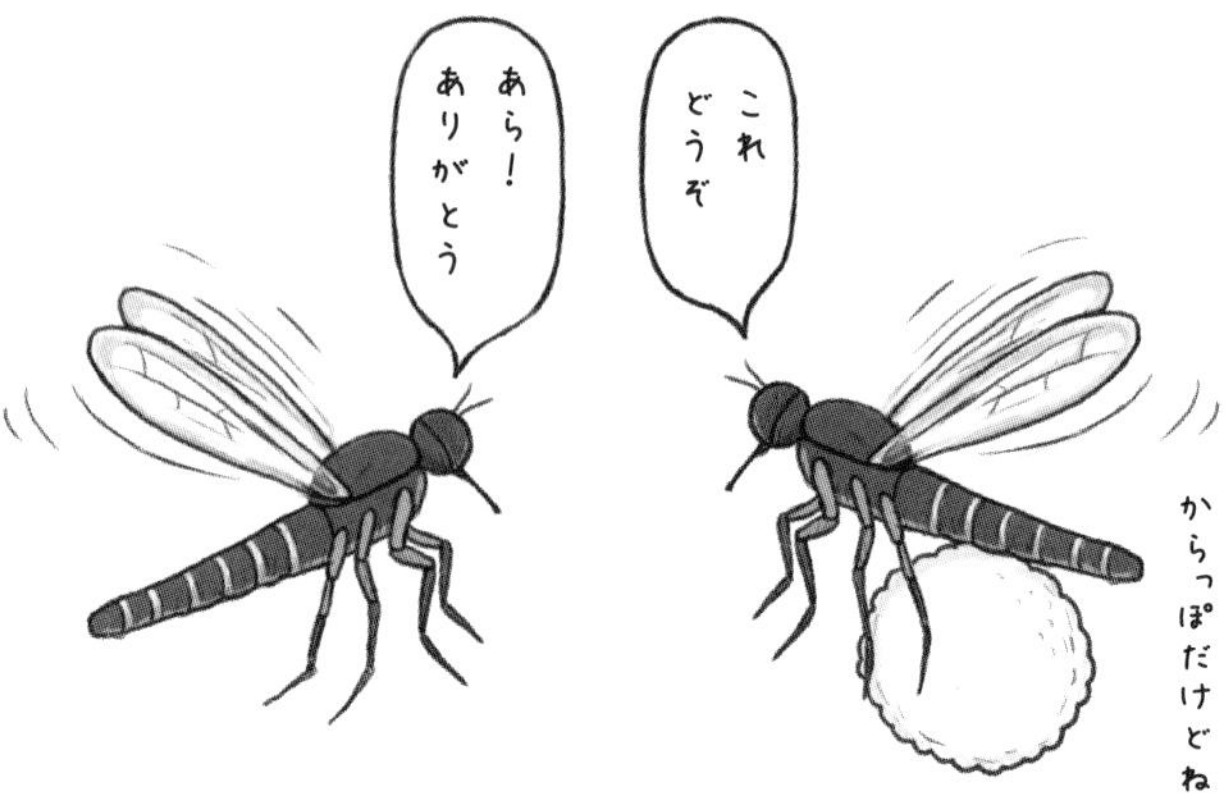
これ どうぞ
あら！ ありがとう
からっぽだけどね

オドリバエの求愛行動《きゅうあいこうどう》は変《か》わっていて、まず、**舞踏会《ぶとうかい》を開《ひら》きます。**おどるように飛《と》びまわり、交尾《こうび》の相手《あいて》を探《さが》すのです。そして**オスは気《き》に入《い》ったメスにプレゼント（虫《むし》）をおくって求愛《きゅうあい》**します。さらに、前足《まえあし》から出《だ》した糸《いと》で**きれいにラッピングしてわたす種《しゅ》**もいます。

ところが、一部《いちぶ》の種《しゅ》のオスがおくるプレゼントには、中身《なかみ》が入《はい》っていません。メスがラッピングをはがしているすきに交尾《こうび》をすませてしまうのです。

気《き》づいたときにはあとの祭《まつ》り。**メスがプレゼントを開《あ》け終《お》えるころには、オスはとっくにおさらば**しています。

プロフィール

昆虫類《こんちゅうるい》

- **名前《なまえ》** フウセンオドリバエ
- **生息地《せいそくち》** 北《きた》アメリカの森林《しんりん》
- **大《おお》きさ** 体長《たいちょう》1cm
- **とくちょう** 自分《じぶん》の体《からだ》より大《おお》きな包《つつ》みをプレゼントすることもある

ミノムシのメスはみのの中《なか》に引《ひ》きこもったまま一生《いっしょう》を終《お》える

　枝《えだ》にぶら下《さ》がっているミノムシの正体《しょうたい》は、**オオミノガなどの幼虫《ようちゅう》**です。オスはみのの中《なか》でサナギから成虫《せいちゅう》になると、メスを求《もと》めて飛《と》んでいきます。しかし、メスは成《せい》虫《ちゅう》になっても羽《はね》が生《は》えず、**みのに引《ひ》きこもったまま一生外《いっしょうそと》に出《で》ることはありません。**メスはオスと交《こう》尾《び》したあと、みのの中《なか》に卵《たまご》をうみ、幼虫《ようちゅう》がふ化《か》するころにみののの下《した》にあるあなからぽとりと地面《じめん》に落《お》ちて死《し》ぬのです。

　ちなみにミノムシのみのは、小枝《こえだ》やかれ葉《は》でできていますが、毛糸《けいと》や細《こま》かく切《き》った色紙《いろがみ》などを幼虫《ようちゅう》にあたえれば、**自分好《じぶんごの》みのカスタムミノムシ**をつくることもできます。

プロフィール

昆虫類《こんちゅうるい》

■**名前《なまえ》**　オオミノガ
■**生息地《せいそくち》**　日本《にほん》の森林《しんりん》
■**大《おお》きさ**　前羽《まえばね》の長《なが》さ1.7㎝（オス）
■**とくちょう**　幼虫《ようちゅう》が小枝《こえだ》やかれ葉《は》でみのをつくる

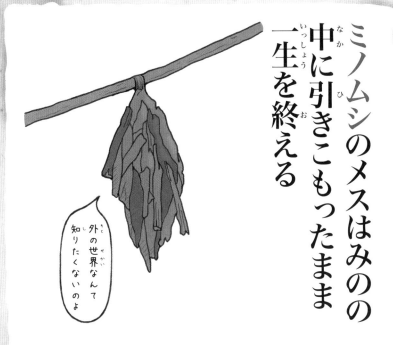

イチモンジカメノコハムシはうんこで敵《てき》を撃退《げきたい》する

昆虫《こんちゅう》の幼虫《ようちゅう》は、だっ皮《ぴ》するたびに皮《かわ》をぬぎ捨《す》てますが、イチモンジカメノコハムシの幼虫《ようちゅう》は、**古《ふる》い皮《かわ》をせおい続《つづ》けます**。さらにその上《うえ》に、自分《じぶん》のうんこをどんどんのせていくので、もはや**うんこのかたまり**にしか見《み》えません。

たいへんきたないのですが、上《うえ》から見《み》ると鳥《とり》のふんやごみに見《み》えるため、敵《てき》に見《み》つかりにくいというメリットがあります。また、それでも見《み》つかってしまったときは、**トゲトゲになった背中《せなか》のうんこをふり回《まわ》して必死《ひっし》に戦《たたか》います**。

イチモンジカメノコハムシの幼《よう》虫《ちゅう》は、とことん、うんこにたよって生《い》きているのです。

プロフィール

昆虫類《こんちゅうるい》

- **名前《なまえ》** イチモンジカメノコハムシ
- **生息地《せいそくち》** アジアの森林《しんりん》
- **大《おお》きさ** 体長《たいちょう》8㎜
- **とくちょう** 成虫《せいちゅう》は全身《ぜんしん》が半《はん》とうめいのこうらでおおわれている

出《で》てくる年《とし》をまちがえたジュウシチネンゼミはさみしく死《し》ぬ

ジュウシチネンゼミはその名《な》のとおり、**17年《ねん》に一度《いちど》だけ成虫《せいちゅう》が大《だい》発生《はっせい》**します。そして、交尾《こうび》をして産卵《さんらん》すると、卵《たまご》からうまれた幼虫《ようちゅう》は17年間《ねんかん》を土《つち》の中《なか》ですごすのです。

そのため、ある年《とし》に成虫《せいちゅう》があらわれたら、その地《ち》では16年間《ねんかん》、成《せい》虫《ちゅう》のすがたを見《み》ることはありません。毎年《まいとし》あらわれるわけではないので、かれらをねらって食《た》べる動《どう》物《ぶつ》もいません。**いっせいに羽化《うか》することで、敵《てき》に食《た》べられる危険《きけん》が低《ひく》くなっている**ようです。

でも万《まん》が一《いち》、**うっかり羽化《うか》する年《とし》をまちがえると悲劇《ひげき》**です。いくら鳴《な》いてもなかまに会《あ》えず、あっけなく敵《てき》に食《た》べられてしまいます。

プロフィール

■名前《なまえ》　ヒメジュウシチネンゼミ
■生息地《せいそくち》　北《きた》アメリカの森林《しんりん》
■大《おお》きさ　体長《たいちょう》2cm
■とくちょう　目《め》が赤《あか》い

昆虫類《こんちゅうるい》

ダツは光《ひかり》が好《す》きすぎて、夜《よる》になると船《ふね》に飛《と》びこむ

ダツは体《からだ》が細長《ほそなが》く、口先《くちさき》がとがった矢《や》のような形《かたち》の魚《さかな》です。

かれらは、**光《ひかり》を見《み》るとその方向《ほうこう》に向《む》かって突進《とっしん》せずにはいられません。**水面《すいめん》を泳《およ》ぐ小魚《こざかな》が日《ひ》の光《ひかり》を反射《はんしゃ》してきらきらと光《ひか》るため、光《ひかり》を見《み》ると**無条件《むじょうけん》で食《た》べ物《もの》だと思《おも》いこんでしまう**ようです。

そのため沖《おき》で夜釣《よづ》りをしていると、船《ふね》のライトを目《め》がけて、**ダツが矢《や》のように飛《と》んでくる**こともあるとか。実際《じっさい》に**ダツが人間《にんげん》にささり、出血多量《しゅっけつたりょう》で死亡《しぼう》する事故《じこ》**も起《お》きており、漁師《りょうし》にとってはサメよりこわい存在《そんざい》だといいます。ちなみに、**もしささったら、ぬかずにそのまま病院《びょういん》に行《い》きましょう。**

プロフィール

硬骨魚類《こうこつぎょるい》

■名前《なまえ》　ダツ
■生息地《せいそくち》　太平洋西部《たいへいようせいぶ》の温帯域《おんたいいき》
■大《おお》きさ　全長《ぜんちょう》1m
■とくちょう　骨《ほね》が青色《あおいろ》や緑色《みどりいろ》をしている

クロヤマアリはほかのアリにどれいにされがち

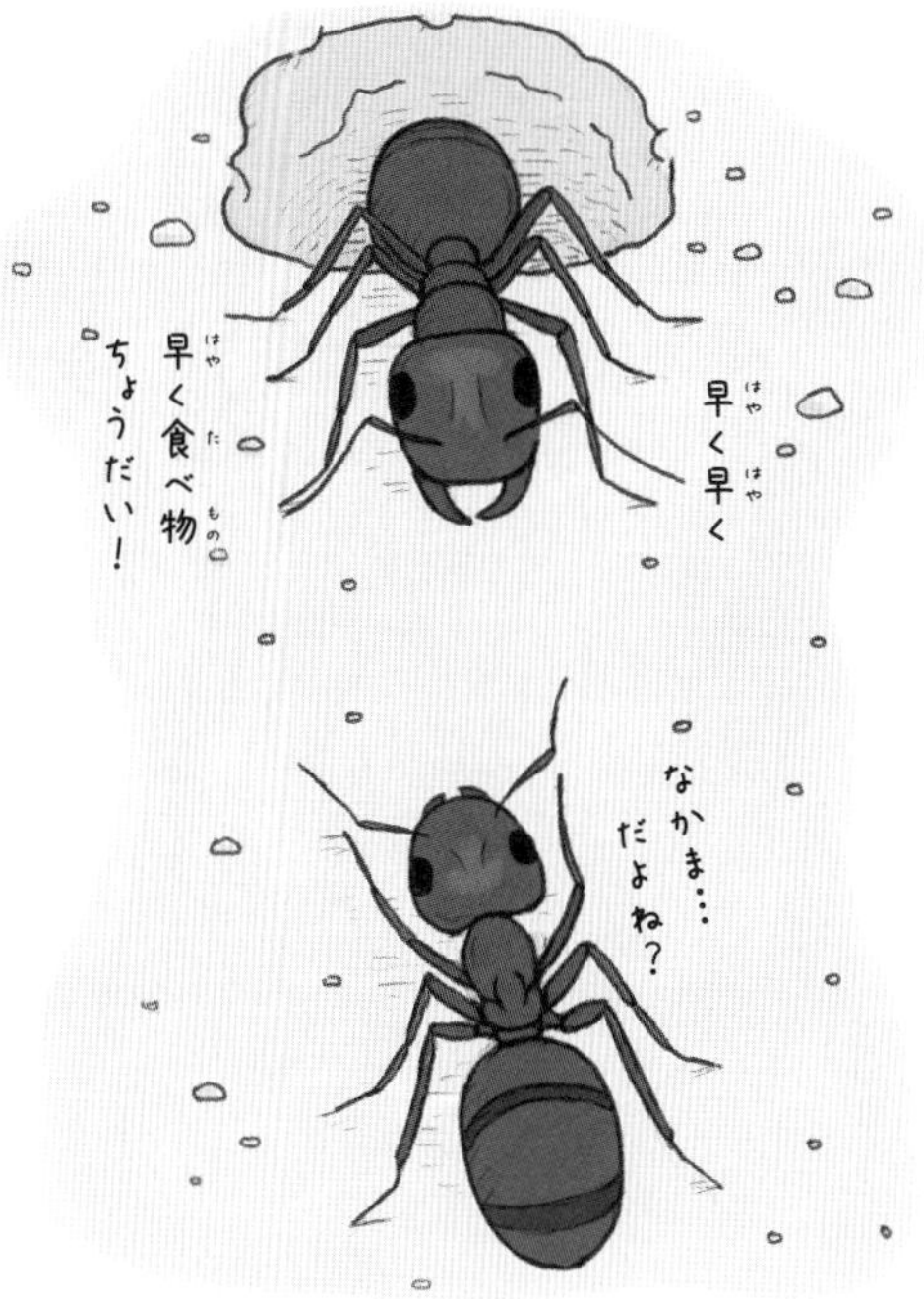
早《はや》く早《はや》く
早《はや》く食《た》べ物《もの》ちょうだい！
なかま…だよね？

クロヤマアリは数《かず》が多《おお》く、働《はたら》き者《もの》のまじめなアリです。でも、戦《せん》闘能力《とうのうりょく》が低《ひく》いため、**ほかのいろいろなアリのどれいにされてしまいます。**

たとえば、サムライアリは戦《たたか》いが得意《とくい》ですが、巣《す》の中《なか》の仕事《しごと》はまったくだめ。そこでクロヤマアリの巣《す》に乗《の》りこみ、**力《ちから》づくでさなぎや幼虫《ようちゅう》をうばいます。**サムライアリの巣《す》で羽化《うか》したクロヤマアリはそこを自分《じぶん》の巣《す》だと思《おも》いこみ、**自分《じぶん》を誘拐《ゆうかい》した敵《てき》のために一生《いっしょう》けんめい働《はたら》き続《つづ》ける**のです。

ほかに、アカヤマアリの巣《す》でも、**けなげに働《はたら》くクロヤマアリのすがた**が目撃《もくげき》されているそうです。

プロフィール

昆虫類《こんちゅうるい》

■ **名前《なまえ》**　クロヤマアリ
■ **生息地《せいそくち》**　東《ひがし》アジアの草地《くさち》
■ **大《おお》きさ**　体長《たいちょう》5㎜（働《はたら》きアリ）
■ **とくちょう**　ひとつの巣《す》に何匹《なんびき》もの女王《じょおう》アリがいることが多《おお》い

キツツキは、頭《あたま》に車《くるま》が衝突《しょうとつ》したくらいの衝撃《しょうげき》を受《う》けている

キツツキといえば、くちばしをコンコンと木《き》に打《う》ちつけ、あなを開《あ》けることで有名《ゆうめい》です。その速《はや》さ、なんと1秒間《びょうかん》に20回《かい》、つまり**「1コン」あたり０・０５秒《びょう》のスピードで木《き》をけずっている**のです。

そのときに頭《あたま》にかかる力《ちから》は、なんと重力《じゅうりょく》の１０００倍《ばい》！　これは人間《にんげん》であれば、**頭《あたま》にトラックがぶつかったときと同《おな》じくらいの衝撃《しょうげき》**だそうです。

いちおう、長《なが》い舌《した》が頭《あたま》の骨《ほね》を囲《かこ》んで保護《ほご》しているほか、脳《のう》が小《ちい》さいことから致命的《ちめいてき》なダメージは受《う》けないようですが、そもそも**脳《のう》が小《ちい》さくなければそんなばかげたまねはしない**気《き》もします。

プロフィール

鳥類《ちょうるい》

■名前《なまえ》　アカゲラ（キツツキの一種《いっしゅ》）
■生息地《せいそくち》　ユーラシアの森林《しんりん》
■大《おお》きさ　全長《ぜんちょう》22㎝
■とくちょう　オスは後頭部《こうとうぶ》が赤《あか》い羽毛《うもう》でおおわれている

ゴリラは知能《ちのう》が発達《はったつ》しすぎて下痢《げり》ぎみ

　いかつい見《み》た目《め》とうらはらに、**ゴリラはとても繊細《せんさい》な動物《どうぶつ》**です。知能《ちのう》が高《たか》いため、争《あらそ》ってけがをする危険《きけん》を考《かんが》えると、多少《たしょう》の怒《いか》りはがまんしてしまいます。

　そのような強《つよ》いストレスを感《かん》じたとき、ゴリラは**わきの下《した》がくさくなったり、人間《にんげん》と同《おな》じように急《きゅう》に下痢《げり》をしたりします**。そしてなぜか下痢便《げりべん》を食《た》べます。ふつうはうんこを食《た》べないため、これはストレスによるもののようです。

　筋肉《きんにく》モリモリでとても強《つよ》そうなゴリラですが、**心《こころ》は豆腐《とうふ》のようにもろい**のです。いつもむずかしい顔《かお》をしているのは、なやみごとがつきないからかもしれません。

プロフィール

ほ乳類《にゅうるい》

- **名前《なまえ》**　ニシゴリラ
- **生息地《せいそくち》**　アフリカ西部《せいぶ》の森林《しんりん》
- **大《おお》きさ**　身長《しんちょう》1.6m
- **とくちょう**　いかくするときは、両手《りょうて》で胸《むね》をたたいて音《おと》を出《だ》す

グンカンドリは、ほかの鳥《とり》から食《た》べ物《もの》をぬすむ

　グンカンドリという強《つよ》そうな名《な》前《まえ》は、ほかの鳥《とり》をおそうことから命名《めいめい》されました。

　かれらは海《うみ》の上《うえ》をパトロールして、魚《さかな》をとらえた鳥《とり》を見《み》つけると、**追《お》いかけ回《まわ》してはき出《だ》させます**。鳥《とり》には歯《は》がないため、のみこまれた魚《さかな》は形《かたち》をとどめており、それを食《た》べるのです。

　こんなことをするのは、**海鳥《うみどり》なのに、泳《およ》ぐことも、水面《すいめん》に浮《う》かぶこともできないから**です。魚《さかな》をとるには水面《すいめん》ギリギリを飛《と》ばなければなりませんが、それはかれらにとってひじょうに危険《きけん》な行為《こうい》。そのため**ほかの鳥《とり》から横取《よこど》りしなければ、じゅうぶんな量《りょう》を食《た》べることができない**のです。

プロフィール

鳥類《ちょうるい》

- **名前《なまえ》**　オオグンカンドリ
- **生息地《せいそくち》**　太平洋《たいへいよう》とインド洋《よう》の熱《ねっ》帯《たい》と亜熱帯《あねったい》の地域《ちいき》
- **大《おお》きさ**　全長《ぜんちょう》90㎝
- **とくちょう**　オスののどには赤《あか》いのど袋《ぶくろ》がある

ウシは1日《にち》に180リットルのよだれを出《だ》す

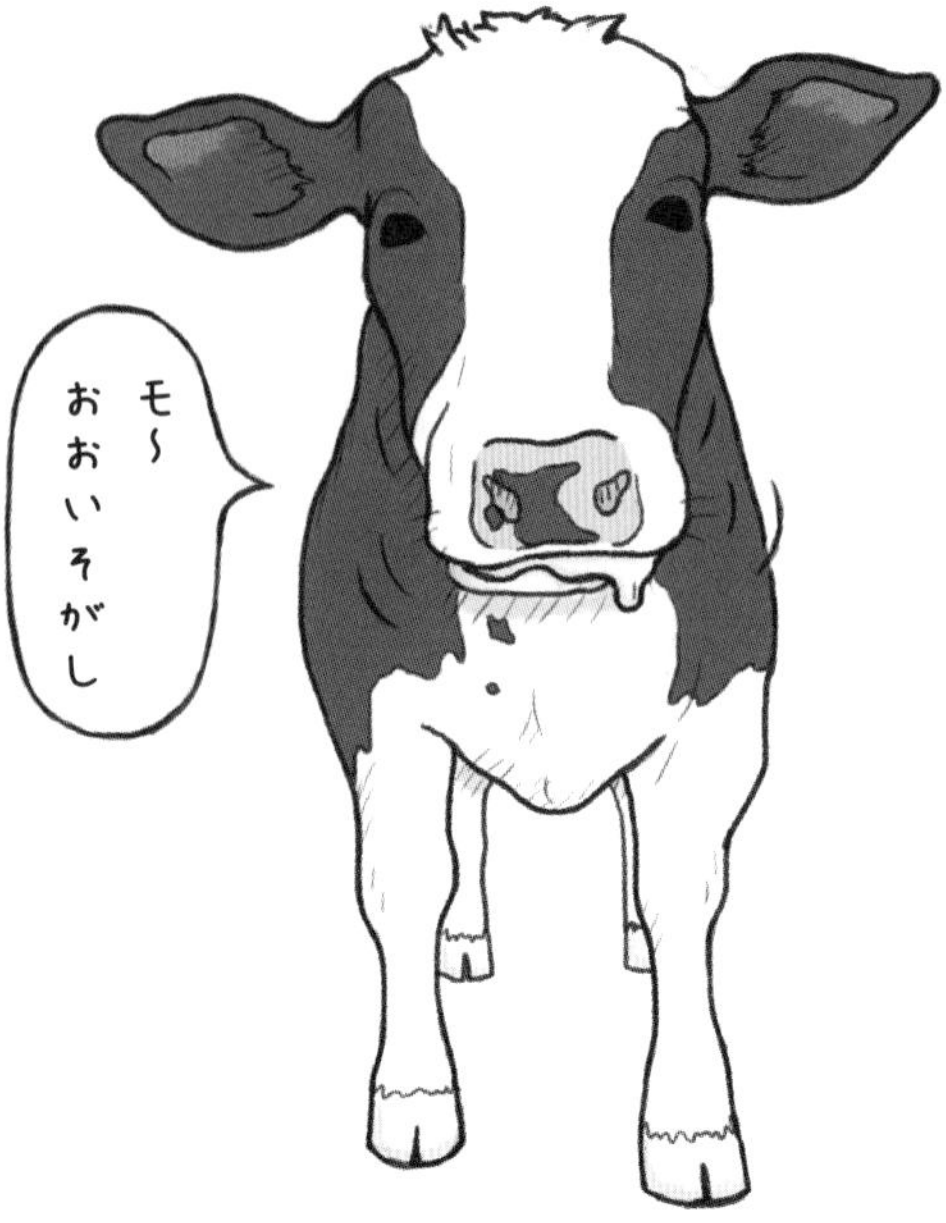

ウシの胃《い》は4つの部屋《へや》に分《わ》かれています。かれらはエサである草《くさ》をのみこむと、胃《い》の中《なか》で一度《いちど》発酵《はっこう》させてから口《くち》の中《なか》にはきもどし、よだれとまぜ合《あ》わせてから、再《ふたた》びのみこんで消化《しょうか》します。この食事《しょくじ》方法《ほうほう》を「反《はん》すう」といいます。

植物《しょくぶつ》は発酵《はっこう》すると酸性《さんせい》になるため、そのままでは内臓《ないぞう》をいためてしまいます。そのためウシは、アルカリ性《せい》のよだれで中和《ちゅうわ》しながら食《た》べているのです。つまり、**よだれで胃《い》の調子《ちょうし》を整《ととの》えている**のです。

かれらは毎日《まいにち》**2リットルペットボトル90本分《ぼんぶん》のよだれを出《だ》しながら**、60kgもの大量《たいりょう》の草《くさ》を食《た》べ、あの大《おお》きな体《からだ》を維持《いじ》しています。

プロフィール

ほ乳類《にゅうるい》

■ **名前《なまえ》** ウシ

■ **生息地《せいそくち》** 世界中《せかいじゅう》で家《か》ちくとして飼《か》われる

■ **大《おお》きさ** 体高《たいこう》1.4m

■ **とくちょう** 人間《にんげん》の指紋《しもん》と同《おな》じで個体《こたい》ごとに鼻紋《びもん》がちがう

モンシロチョウの幼虫《ようちゅう》はキャベツを食《た》べると天敵《てんてき》におそわれる

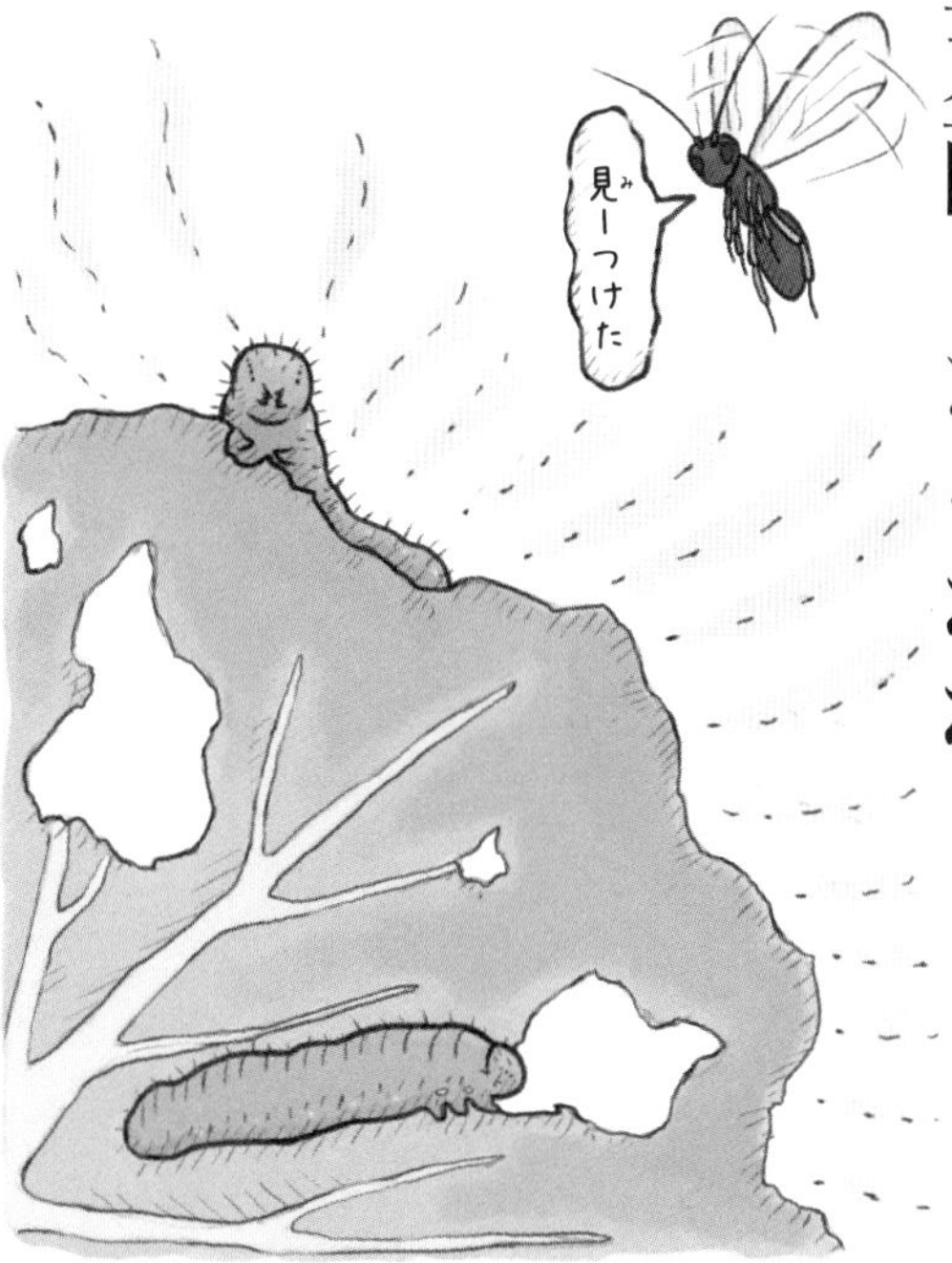

モンシロチョウの幼虫《ようちゅう》は、キャベツの葉《は》が大好《だいす》き。意外《いがい》かもしれませんが、ほとんどの昆虫《こんちゅう》はキャベツを食《た》べません。キャベツには、昆虫《こんちゅう》がまずいと感《かん》じる成分《せいぶん》がふくまれているためです。

そのため、モンシロチョウはキャベツをひとりじめできるわけですが、**キャベツもだまって食《た》べられはしません。**葉《は》を食《た》べられると特別《とくべつ》なにおいを出《だ》し、モンシロチョウの幼虫《ようちゅう》に卵《たまご》をうみつける、**寄生《きせい》バチをよびよせる**のです。

キャベツ畑《ばたけ》にモンシロチョウが舞《ま》うさまはたいへんおだやかですが、じつはその下《した》で**仁義《じんぎ》なき戦《たたか》いがくり広《ひろ》げられていた**のですね。

プロフィール

昆虫類《こんちゅうるい》

- **名前《なまえ》**　モンシロチョウ
- **生息地《せいそくち》**　温帯《おんたい》から亜熱帯《あねったい》にかけての農地《のうち》
- **大《おお》きさ**　前羽《まえはね》の長《なが》さ2.5㎝
- **とくちょう**　紫外線《しがいせん》を当《あ》てるとオスの羽《はね》は黒《くろ》く見《み》える

ダイコクコガネは親子《おやこ》そろって主食《しゅしょく》がうんこ

サナギになる昆虫《こんちゅう》は、幼虫《ようちゅう》と成《せい》虫《ちゅう》で体《からだ》のつくりを大《おお》きく変《か》えます。そのため、ふつうは食《た》べ物《もの》も変《か》わりますが、**ダイコクコガネは幼虫《ようちゅう》も成虫《せいちゅう》も同《おな》じもの（うんこ）を食《た》べています。**そのため、このグループは「ふん虫《ちゅう》」とよばれます。

そもそもうんこは、食《た》べ物《もの》の残《のこ》りカスなので、あまり栄養《えいよう》がありません。しかし、かれらは大量《たいりょう》に食《た》べることで栄養《えいよう》をおぎなう作戦《さくせん》にでました。**ほかにだれも食《た》べたがらないうんこなら食《た》べ放題《ほうだい》というわけです。**しかしまれにふん虫《ちゅう》どうしがうんこをうばい合《あ》うという、**この世《よ》の終《お》わりのような争《あらそ》い**も起《お》こります。

プロフィール

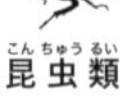
昆虫類《こんちゅうるい》

- ■名前《なまえ》　ダイコクコガネ
- ■生息地《せいそくち》　東《ひがし》アジアの牧場《ぼくじょう》
- ■大《おお》きさ　体長《たいちょう》2.6㎝
- ■とくちょう　消化吸収《しょうかきゅうしゅう》に優《すぐ》れた、体長《たいちょう》の10倍《ばい》もある消化管《しょうかかん》をもつ

タガメのオスは卵《たまご》を守《まも》り　メスはこわそうとする

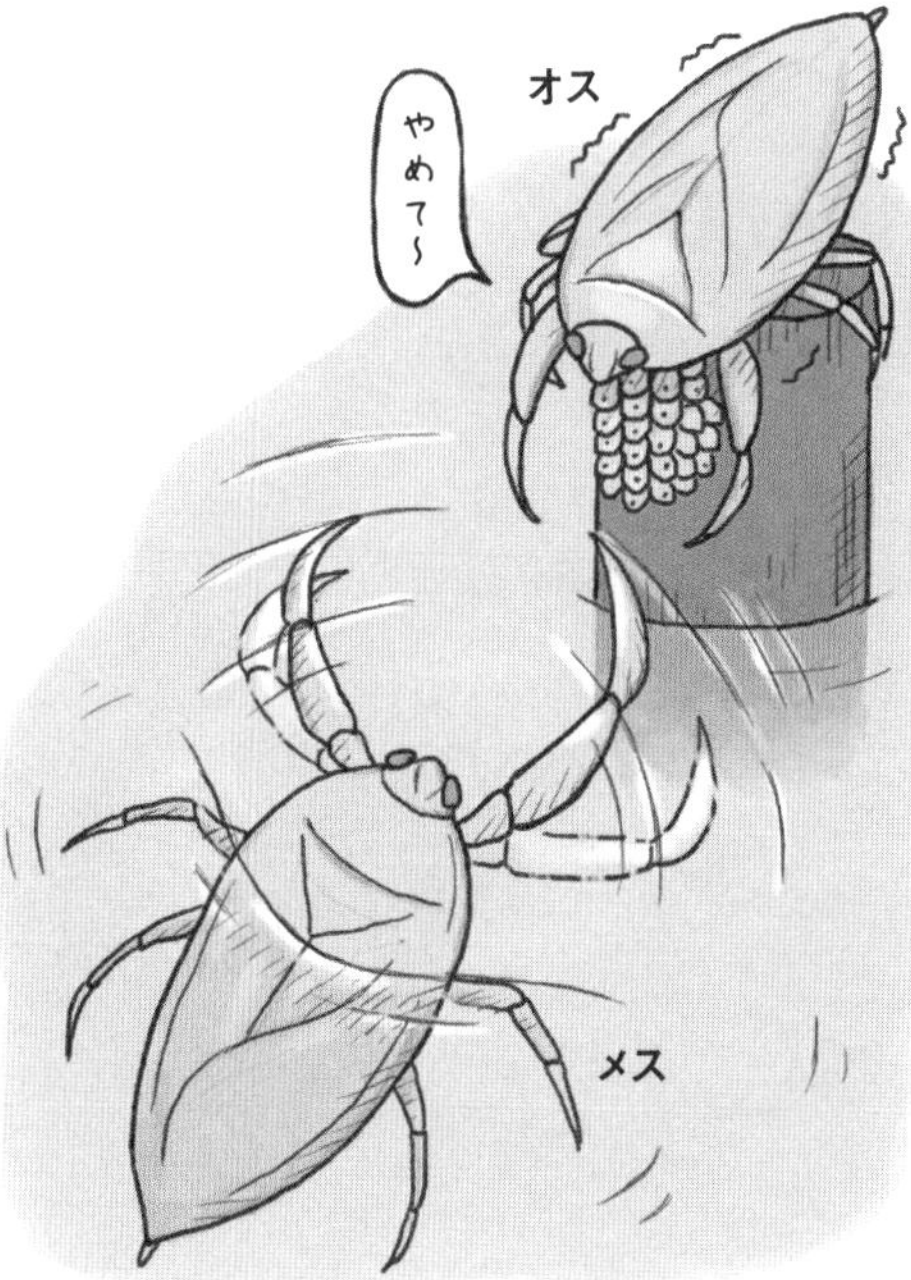

タガメはオスが卵《たまご》を守《まも》るという、めずらしい習性《しゅうせい》があります。一方《いっぽう》のメスは卵《たまご》をうんだあとはどこかに行《い》ってしまいますが、そこをねらってやって来《く》るのが**産卵《さんらん》を終《お》えていない別《べつ》のメス**です。

卵《たまご》を守《まも》っているオスは交尾《こうび》をしません。そのため産卵前《さんらんまえ》のメスは、**オスが守《まも》る卵《たまご》をこわして、自《じ》分《ぶん》と交尾《こうび》するようにしむけます。**

オスも最初《さいしょ》は抵抗《ていこう》しますが、タガメはメスのほうが大《おお》きいため、あっさりやられてしまいます。すると卵《たまご》をこわされたオスは、**何事《なにごと》もなかったかのように子《こ》どものかたきのメスと交尾《こうび》**をして、うまれた卵《たまご》をふたたび守《まも》るのです。

プロフィール

昆虫類《こんちゅうるい》

■名前《なまえ》　タガメ

■生息地《せいそくち》　東《ひがし》アジアの池《いけ》や水田《すいでん》

■大《おお》きさ　体長《たいちょう》5.6㎝

■とくちょう　えものに口《くち》をつきさし消化《しょうか》液《えき》を注入《ちゅうにゅう》。とかして食《た》べる

チベットモンキーは おとなのけんかを 子《こ》どもが仲直《なかなお》りさせる

チベットモンキーは気《き》があらく、オスどうしでよくけんかをします。負《ま》けたオスは謝《あやま》ってゆるしてもらおうとしますが、**相手《あいて》がものすごく怒《おこ》っていると、なかなかゆるしてもらえません。**

そんなときは相手《あいて》の怒《いか》りをしずめるために、むれのなかからかわいい子《こ》どもを選《えら》んで連《つ》れてきます。**チベットモンキーのオスは大《だい》の子《こ》ども好《ず》き。**かわいい子《こ》どもを見《み》ると、つい表情《ひょうじょう》も和《やわ》らぎます。

そしてふんいきがよくなったところで、2匹《ひき》で子《こ》どもを高《たか》く持《も》ち上《あ》げながらあやす「ブリッジング(橋《はし》わたし)」を行《おこな》い、**ようやく仲《なか》直《なお》りが成立《せいりつ》する**のです。

プロフィール

ほ乳類《にゅうるい》

- **名前《なまえ》** チベットモンキー
- **生息地《せいそくち》** 中国《ちゅうごく》の山地《さんち》
- **大《おお》きさ** 体長《たいちょう》60cm
- **とくちょう** 名前《なまえ》にチベットとつくが、チベットにはすんでいない

イルカは眠《ねむ》るとおぼれる

イルカは人間《にんげん》と同《おな》じほ乳類《にゅうるい》ですが、水中《すいちゅう》の生活《せいかつ》に適応《てきおう》しており、陸上《りくじょう》では生《い》きていけません。しかし、**魚《さかな》のようなえら呼吸《こきゅう》はできない**ため、頭《あたま》のてっぺんにある鼻《はな》のあなをちょくちょく水面《すいめん》に出《だ》して息《いき》をする必要《ひつよう》があります。

そのため、イルカは**完全《かんぜん》に眠《ねむ》ってしまうと、おぼれて死《し》にます。**ただし、まったく眠《ねむ》らないわけではありません。イルカは水面近《すいめんちか》くをゆっくり泳《およ》ぎながら、数分《すうふん》ごとに目《め》を交互《こうご》にとじて、脳《のう》を半分《はんぶん》ずつ休《やす》めることができるのです。安《あん》眠《みん》とはほど遠《とお》いのですが、これを**1日《にち》に300回以《かいい》上《じょう》くり返《かえ》して、**なんとか眠《ねむ》っているようです。

プロフィール

ほ乳類《にゅうるい》

■ **名前《なまえ》**　ミナミバンドウイルカ
■ **生息地《せいそくち》**　太平洋《たいへいよう》からインド洋《よう》にかけての亜熱帯《あねったい》から温帯域《おんたいいき》
■ **大《おお》きさ**　体長《たいちょう》2.5m
■ **とくちょう**　超音波《ちょうおんぱ》を出《だ》してまわりのようすを探《さぐ》る

カマキリのオスはメスに食《た》べられがち

カマキリはとても攻撃的《こうげきてき》な生《い》き物《もの》で、目《め》の前《まえ》に自分《じぶん》より小《ちい》さくて動《うご》くものがあると、**敵味方《てきみかた》にかかわらず、とりあえずおそってみようとします。**

そのため、体《からだ》の小《ちい》さなオスがメスに近《ちか》づくのはとても大変《たいへん》。**交尾《こうび》をしようとメスに近《ちか》づくと、食《た》べられてしまう**こともあるのです。

ときには、交尾中《こうびちゅう》に頭《あたま》から食《た》べられてしまうこともありますが、ほとんどの種《しゅ》のオスは**頭《あたま》がなくても交尾可能《こうびかのう》**というから、なかなかのガッツです。しかし最悪《さいあく》の場合《ばあい》、**交尾《こうび》をする前《まえ》に食《た》べられてしまい**、目的《もくてき》を果《は》たせぬまま無念《むねん》の死《し》をとげるものもいます。

プロフィール

昆虫類《こんちゅうるい》

- **名前《なまえ》** オオカマキリ
- **生息地《せいそくち》** アジアの草地《くさち》
- **大《おお》きさ** 体長《たいちょう》8cm
- **とくちょう** 後《うし》ろ羽《ばね》が黒《くろ》みがかった色《いろ》をしている

ハチドリはつねに蜜《みつ》をなめていないと餓《が》死《し》する

おいしい！
おなかすいた！
おいしい！
でもおなかすいた
おなかすいた！
おいしい！

　ハチドリは鳥《とり》のなかで最《もっと》も体《からだ》の小《ちい》さいグループです。マメハチドリはたったの2g、**1円玉《えんだま》2枚分《まいぶん》の重《おも》さ**しかありません。ハチドリというだけあり、ハチのようにホバリング（空中静止《くうちゅうせいし》）ができます。

　ただしハチドリは空中《くうちゅう》で静止《せいし》するために、**1秒間《びょうかん》に60回以上《かいいじょう》の超《ちょう》高速《こうそく》で羽《はね》を動《うご》かしています。**当《とう》然《ぜん》、ものすごくエネルギーを使《つか》うため、高《こう》カロリーで消化《しょうか》しやすい花《はな》の蜜《みつ》を一日中《いちにちじゅう》なめ続《つづ》けないと死《し》んでしまうのです。体重比《たいじゅうひ》で考《かんが》えると、**人間《にんげん》の50倍《ばい》ものカロリー**をとっていることになります。

　いっそ鳥《とり》をやめてハチになったほうがラクそうです。

プロフィール

鳥類《ちょうるい》

■**名前《なまえ》**　マメハチドリ
■**生息地《せいそくち》**　キューバの森林《しんりん》
■**大《おお》きさ**　全長《ぜんちょう》5cm
■**とくちょう**　卵《たまご》も鳥類《ちょうるい》で最小《さいしょう》、最軽量《さいけいりょう》。大《おお》きさ6.5mm、重《おも》さ0.3g

コアラはユーカリにふくまれる猛毒《もうどく》のせいで一日《いちにち》中《じゅう》寝《ね》ている

これも仕事《しごと》のうちだから…
ZZZ…

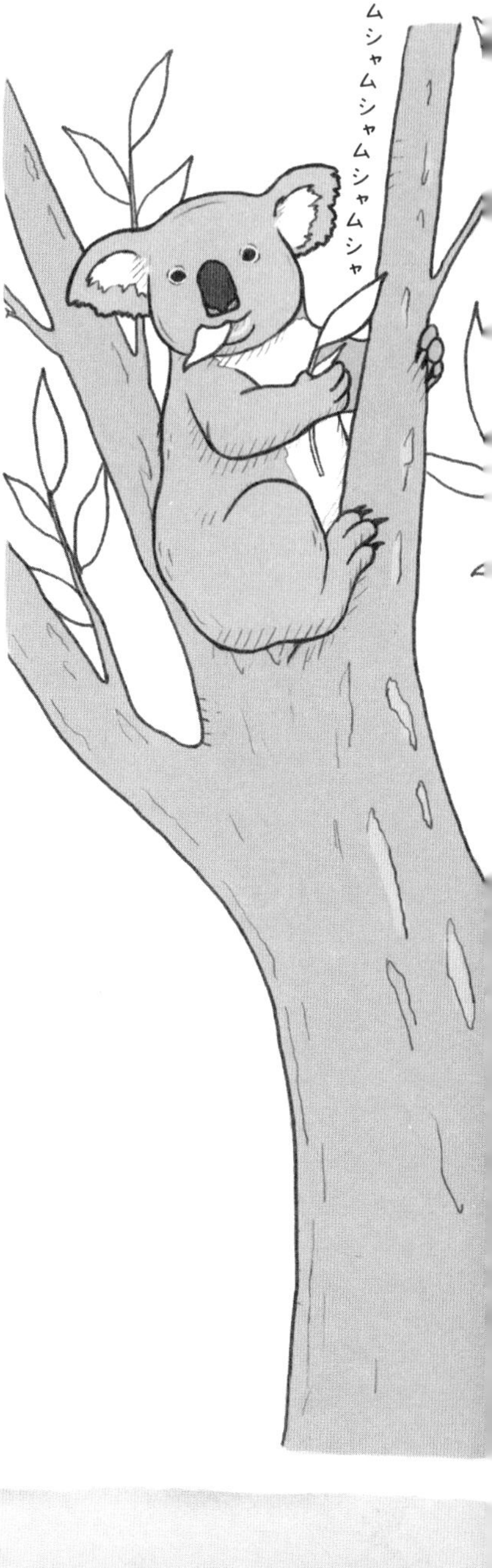
ムシャムシャムシャムシャ

　動物界《どうぶつかい》のいやし系代表《けいだいひょう》のようなコアラですが、木《き》にしがみついてじーっとしているのにはわけがあります。

　じつはコアラの主食《しゅしょく》であるユーカリの葉《は》には、青酸《せいさん》やタンニンなどがふくまれています。これは**防《ぼう》虫剤《ちゅうざい》にも使《つか》われるほどの猛毒《もうどく》**。ほかに食《た》べる動物《どうぶつ》がいない、この毒《どく》入《い》りの葉《は》っぱが食《た》べられる体《からだ》になったことで、**コアラは生存競争《せいぞんきょうそう》に勝《か》ち残《のこ》った**のです。

　しかし、食《た》べられるようになったといっても毒《どく》は毒《どく》。栄養《えいよう》も少《すく》ないうえ、解毒《げどく》のためのエネルギーも必要《ひつよう》なことから、**エネルギーを節約《せつやく》するために一日中《いちにちじゅう》寝《ね》るしかなくなってしまいました。**

プロフィール

ほ乳類《にゅうるい》

- 名前《なまえ》　コアラ
- 生息地《せいそくち》　オーストラリア東部《とうぶ》の森林《しんりん》
- 大《おお》きさ　体長《たいちょう》75cm
- とくちょう　子《こ》どもは離乳食《りにゅうしょく》として母親《ははおや》のふんを食《た》べる

サバクトビバッタの主食《しゅしょく》は共食《ともぐ》い

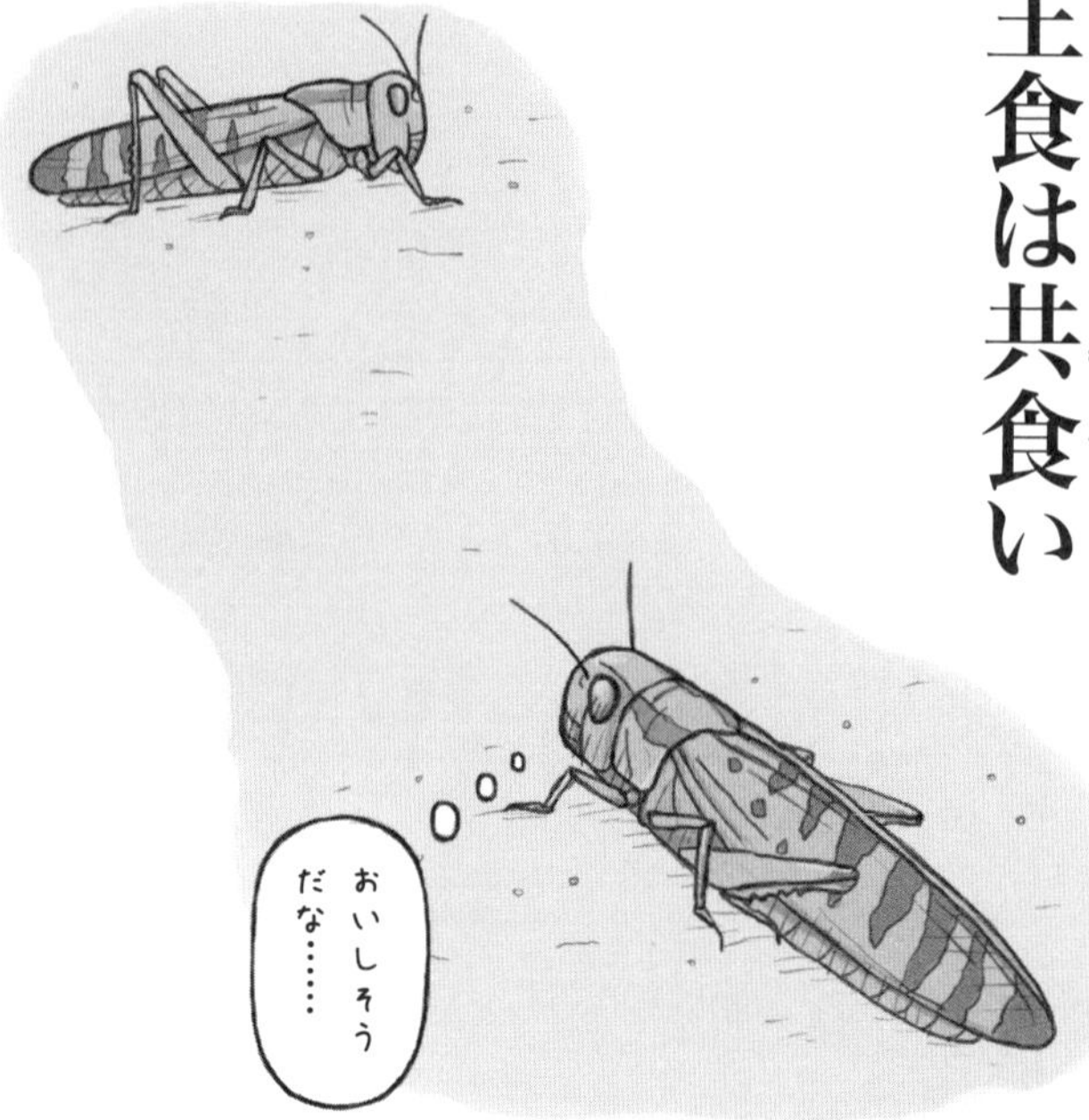

　サバクトビバッタは過去《かこ》にたびたび異常発生《いじょうはっせい》し、人間《にんげん》に恐怖《きょうふ》と迷惑《めいわく》をあたえてきました。**集団《しゅうだん》は最《さい》大《だい》で10億匹《おくひき》**にもなり、周囲《しゅうい》の植物《しょくぶつ》や農作物《のうさくもつ》をあっという間《ま》に食《た》べつくしてしまいます。また、サバクトビバッタは**食《た》べ物《もの》を求《もと》めて5000kmもの距離《きょり》を移動《いどう》する**といわれ、移動《いどう》しながら交尾《こうび》と産卵《さんらん》をくり返《かえ》して爆発的《ばくはつてき》に数《かず》をふやします。
　しかし、移動《いどう》しても食《た》べ物《もの》が見《み》つからないと、かれらは共食《ともぐ》いをはじめ、どんどん数《かず》が減《へ》っていきます。この時期《じき》にうまれた世代《せだい》には、**植物《しょくぶつ》をほとんど食《た》べずに、ひたすらなかまどうしで体《からだ》を食《た》べ合《あ》う運命《うんめい》**が待《ま》っているのです。

プロフィール

昆虫類《こんちゅうるい》

- **名前《なまえ》**　サバクトビバッタ
- **生息地《せいそくち》**　西《にし》アフリカから南《みなみ》アジアにかけての草地《くさち》
- **大《おお》きさ**　体長《たいちょう》5㎝
- **とくちょう**　毎日《まいにち》、自分《じぶん》の体重《たいじゅう》と同《おな》じ量《りょう》の植物《しょくぶつ》を食《た》べる

ドウケツエビはおりの中《なか》で一生《いっしょう》をすごす

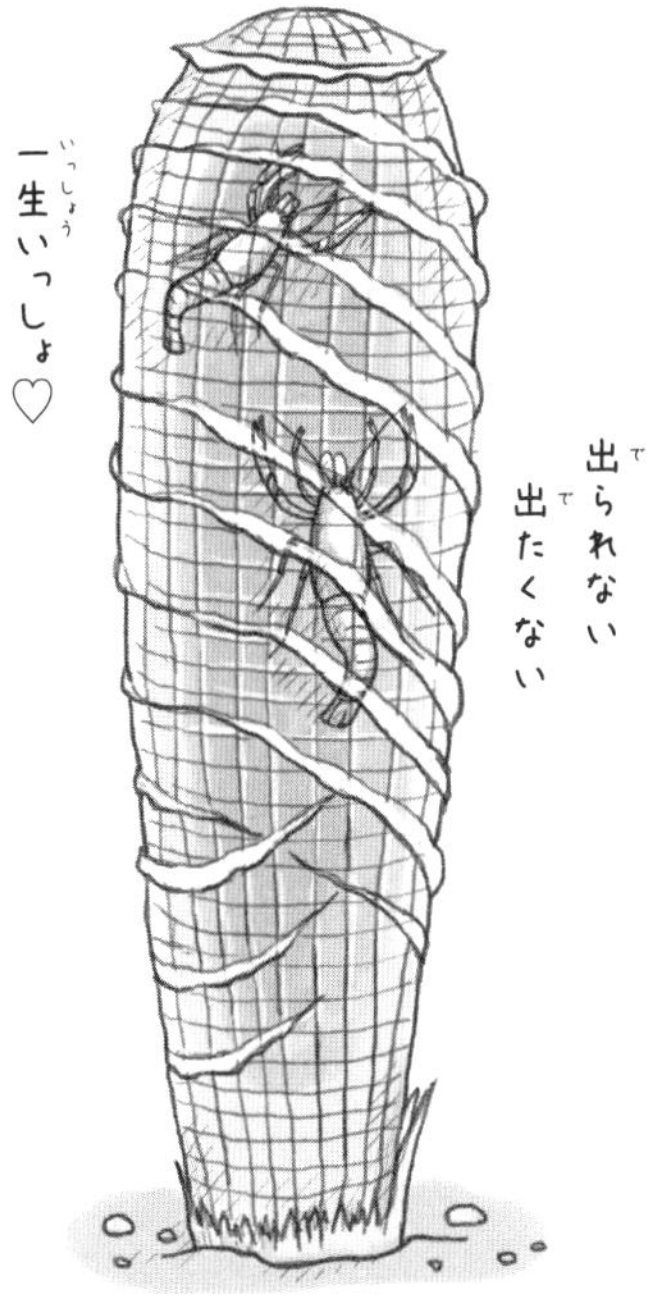

海《うみ》の底《そこ》には、まるでガラスでできた彫刻《ちょうこく》のような形《かたち》をした、カイロウドウケツという動物《どうぶつ》がいます。**そんな動物《どうぶつ》の中《なか》で一生《いっしょう》をすごすのが、ドウケツエビ**です。

かれらは小《ち》さいころに2匹《ひき》のペアでカイロウドウケツの中《なか》に入《はい》りこみます。そして中《なか》で成長《せいちょう》し、そのまま**カイロウドウケツをマイホームにしてしまう**のです。

カイロウドウケツの体《からだ》はかたく、敵《てき》から守《まも》ってくれるだけでなく、あみ目《め》にくっつくプランクトンを食《た》べれば食事《しょくじ》にもこまりません。まるで高級《こうきゅう》ホテルのような快《かい》適《てき》さですが、**体《からだ》が成長《せいちょう》すると外《そと》に出《で》ることもできなくなります。**

プロフィール

甲殻類《こうかくるい》

- **名前《なまえ》**　ドウケツエビ
- **生息地《せいそくち》**　日本《にほん》の太平洋側《たいへいようがわ》の海底《かいてい》
- **大《おお》きさ**　体長《たいちょう》2.2㎝
- **とくちょう**　性別《せいべつ》が決《き》まるのはおとなになってから

クロオオアリはアブラムシのおしっこが大好物《だいこうぶつ》

アブラムシは、学校《がっこう》の花《か》だんなどでも見《み》られる身近《みぢか》な昆虫《こんちゅう》です。かれらは野菜《やさい》や果物《くだもの》の葉《は》などにびっしりとくっつき、**汁《しる》をすいまくります**。汁《しる》のすいすぎで体《からだ》にたくわえられなかった糖分《とうぶん》は、おしっことして体外《たいがい》に捨《す》てています。

そこにやって来《く》るのがクロオオアリです。あまいものにうえているかれらは、アブラムシのおしりに口《くち》をつけて、**おしっこをごくごく飲《の》みます**。自然界《しぜんかい》では、それだけあまいものが貴重《きちょう》なのです。

クロオオアリは、そのお礼《れい》にアブラムシの敵《てき》を追《お》いはらってあげるので、**おしっこでやとわれた用《よう》心棒《じんぼう》**といったところです。

プロフィール

昆虫類《こんちゅうるい》

- **名前《なまえ》** クロオオアリ
- **生息地《せいそくち》** アジアの平地《へいち》
- **大《おお》きさ** 体長《たいちょう》1cm（働《はたら》きアリ）
- **とくちょう** 深《ふか》さ1〜2mにもなる大《おお》きな巣《す》をつくる

アブラムシはうまれたときから妊《にん》娠《しん》している

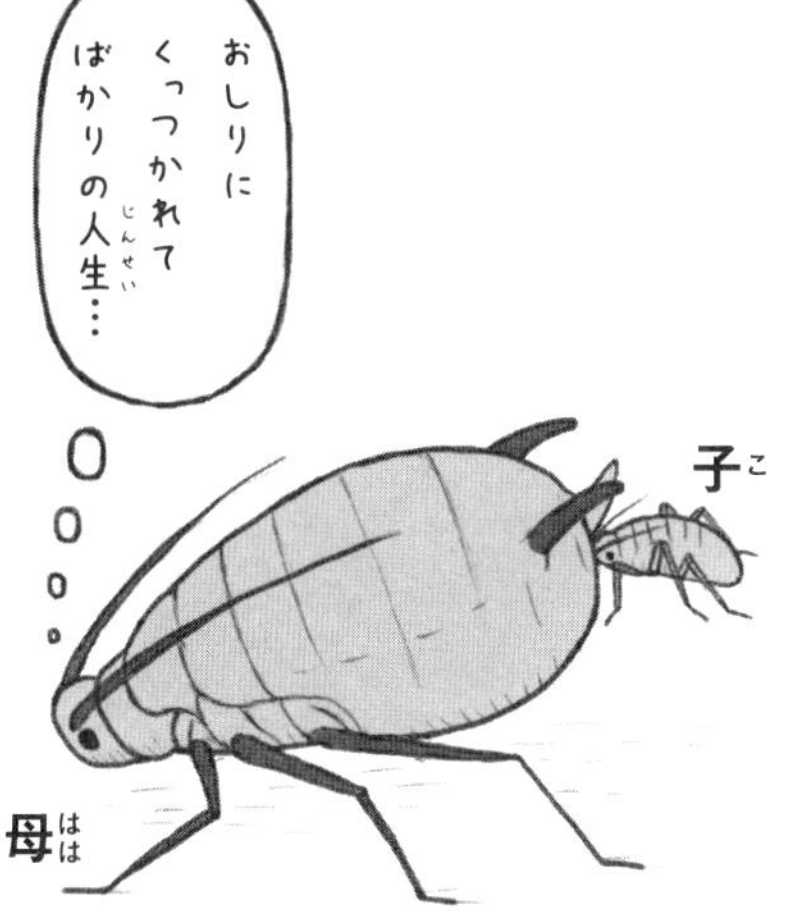
おしりに
くっつかれて
ばかりの人生《じんせい》…
子《こ》
母《はは》

アブラムシのメスの幼虫《ようちゅう》は、**うまれた時点《じてん》でおなかの中《なか》に子《こ》どもを宿《やど》しています。**そして成虫《せいちゅう》になると、おなかの中《なか》で育《そだ》った子《こ》どもを出産《しゅっさん》するのです。

母《はは》アブラムシからすれば、出産《しゅっさん》した瞬間《しゅんかん》に自分《じぶん》の子《こ》どもが孫《まご》を妊《にん》娠《しん》しているようなもの。このふしぎな繁殖方法《はんしょくほうほう》によって、アブラムシは短《みじか》い期間《きかん》で一気《いっき》に個体数《こたいすう》をふやしています。

オスの出番《でばん》は、秋《あき》だけ。卵《たまご》の状《じょう》態《たい》にならないと冬《ふゆ》の寒《さむ》さをこせないため、オスとメスで交尾《こうび》をして卵《たまご》をうむのです。あまり出番《でばん》がないせいか、**メスにくらべてオスの数《かず》はきょくたんに少《すく》ない**そうです。

プロフィール

昆《こん》虫《ちゅう》類《るい》

■名前《なまえ》　イバラヒゲナガアブラムシ
■生息地《せいそくち》　東《ひがし》アジアの草地《くさち》
■大《おお》きさ　体長《たいちょう》2㎜
■とくちょう　オスと交尾《こうび》してうんだ卵《たまご》からうまれるのはすべてメス

バクはおしりを水《みず》につけないとうんこが出《で》ない

けっこう
デリケートなのよ

バクは**「うんこするなら水《みず》の中《なか》」**と決《き》めています。これはトラなどの敵《てき》にうんこが見《み》つかり、ねらわれるのを防《ふせ》ぐためともいわれます。

水中《すいちゅう》でうんこだなんて、**まるでうんこ風呂《ぶろ》に入《はい》っているようなもの**ですが、かれらは気《き》にしません。敵《てき》のいない動物園《どうぶつえん》でも水場《みずば》がないと落《お》ち着《つ》かず、うまくうんこができないようです。動物園《どうぶつえん》でずっと便秘《べんぴ》だったバクのおしりに、ホースで水《みず》をかけたところ、**たまっていたうんこをいきおいよく発射《はっしゃ》した**という話《はなし》もあります。

バクには「人《ひと》の夢《ゆめ》を食《た》べる」という伝説《でんせつ》がありますが、まったくもって夢《ゆめ》のない動物《どうぶつ》です。

プロフィール

ほ乳類《にゅうるい》

- **名前《なまえ》** マレーバク
- **生息地《せいそくち》** 東南《とうなん》アジアの森林《しんりん》
- **大《おお》きさ** 体長《たいちょう》2.3m
- **とくちょう** 子《こ》どものころは体《からだ》にしまもようがある

マグロは24時間《じかん》泳《およ》ぎ続《つづ》けないと窒息《ちっそく》する

私《わたし》たちほ乳類《にゅうるい》は肺《はい》に空気《くうき》を送《おく》って呼吸《こきゅう》します。一方《いっぽう》、多《おお》くの魚《さかな》はえらぶたを閉《と》じ開《ひら》きして、えらに水《みず》を送《おく》り、水《みず》の中《なか》の酸素《さんそ》を体《からだ》に取《と》りこみます。

ところが**クロマグロはえらぶたを動《うご》かせません**。そのかわりに口《くち》を開《あ》けたまま泳《およ》ぎ、口《くち》からえらに水《みず》を送《おく》って呼吸《こきゅう》しているのです。**同《おな》じ大《おお》きさの魚《さかな》とくらべ、3倍近《ばいちか》い速度《そくど》で泳《およ》ぐ**かれらは、酸素《さんそ》の消《しょう》費《ひ》がはげしいため、えらぶたを動《うご》かすくらいでは呼吸《こきゅう》が追《お》いつかないのでしょう。

しかし、そんな体《からだ》のつくりのせいで、**泳《およ》ぐのを止《や》めてしまうと酸《さん》欠《けっ》で死《し》んでしまう**のです。

プロフィール

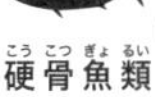
硬骨魚類《こうこつぎょるい》

- ■**名前《なまえ》**　クロマグロ
- ■**生息地《せいそくち》**　太平洋《たいへいよう》の熱帯域《ねったいいき》から温帯《おんたい》域《いき》にかけて
- ■**大《おお》きさ**　全長《ぜんちょう》2m
- ■**とくちょう**　まわりの水温《すいおん》より5〜15℃体温《たいおん》が高《たか》い

ラッコは食《た》べ続《つづ》けないとこごえ死《じ》ぬ

食《た》べないと
やってらんないよ

プカプカと水面《すいめん》にうかぶすがたがなんともかわいいラッコ。しかしこうしてうかんでいられるのも、**全身《ぜんしん》で8億本《おくほん》あるという異常《いじょう》に毛深《けぶか》い体《からだ》のおかげ**です。これは、**たてよこ1㎝の四角《しかく》の中《なか》に人間《にんげん》の髪《かみ》の毛《け》がぜんぶ生《は》えているのと同《おな》じくらいの密度《みつど》**。毛《け》の間《あいだ》に空気《くうき》がたまってうきわの役割《やくわり》をするので、ラッコはしずまないのです。

また、毛《け》には体温《たいおん》をたもつ役割《やくわり》もあります。ふっくらして見《み》えるラッコですが、**皮下脂肪《ひかしぼう》がほとんどなく、毛《け》の下《した》はガリガリ**。そのため1日《にち》に体重《たいじゅう》の4分《ぶん》の1ていどの量《りょう》の食事《しょくじ》をしないと、体温《たいおん》が下《さ》がって凍死《とうし》してしまいます。

プロフィール

ほ乳類《にゅうるい》

- **名前《なまえ》**　ラッコ
- **生息地《せいそくち》**　北太平洋《きたたいへいよう》の沿岸域《えんがんいき》
- **大《おお》きさ**　体長《たいちょう》1.3m
- **とくちょう**　海《かい》そうを体《からだ》に巻《ま》きつけて流《なが》されないように休《やす》む

ハゲインコはインコなのにはげている

ハゲインコの頭《あたま》には羽毛《うもう》がなく、オレンジ色《いろ》の皮《ひ》ふが丸見《まるみ》えです。

ハゲワシやコンドルなど、ほかにも頭《あたま》がはげている鳥《とり》はいますが、**かれらのはげ頭《あたま》には理由《りゆう》があります**。動物《どうぶつ》の死体《したい》を食《た》べるとき、肉《にく》の中《なか》に頭《あたま》をつっこむと、血《ち》や脂肪《しぼう》がついてかたまるため、**羽毛《うもう》がないほうが清潔《せいけつ》**なのです。

ところが、ハゲインコの食《た》べ物《もの》は、植物《しょくぶつ》の種子《しゅし》や果実《かじつ》。それならはげる必要《ひつよう》などなさそうですが、アマゾンの熱帯林《ねったいりん》には脂肪《しぼう》たっぷりの大《おお》きな実《み》がぶら下《さ》がっています。これに頭《あたま》をつっこんで、心《こころ》ゆくまで食《た》べるには、**やはりはげ頭《あたま》のほうが清潔《せいけつ》**でいいのでしょう。

プロフィール

鳥類《ちょうるい》

- **名前《なまえ》**　ハゲインコ
- **生息地《せいそくち》**　ブラジルの森林《しんりん》
- **大《おお》きさ**　全長《ぜんちょう》23㎝
- **とくちょう**　若鳥《わかどり》ははげていないが、成長《せいちょう》すると頭《あたま》の羽毛《うもう》がぬける

パンダが一《いち》日《にち》中《じゅう》食《た》べ続《つづ》けている
ササの葉《は》には
じつはほとんど栄養《えいよう》がない

パンダといえば、ササの葉《は》ばかり食《た》べているイメージがありますが、**じつはササは栄養《えいよう》が少《すく》なく消《しょう》化《か》しづらい食《た》べ物《もの》**。

もともとパンダはクマのなかまで雑食性《ざっしょくせい》のため、動物《どうぶつ》の肉《にく》や果物《くだもの》も食《た》べられます。しかし、大昔《おおむかし》にほかのクマなどにすむ場所《ばしょ》を追《お》われ、ササくらいしか生《は》えない高山《こうざん》でくらさなくてはならなくなりました。つまり**パンダは生存競争《せいぞんきょうそう》に負《ま》けた結果《けっか》、消化《しょうか》の悪《わる》いササを1日《にち》かけて大量《たいりょう》に食《た》べるハメになったといえるのです**。

動物園《どうぶつえん》では栄養《えいよう》のあるいろいろなえさをあげていますが、それでもササを食《た》べてしまうのは、**悲《かな》しい性《さが》**といえます。

プロフィール

ほ乳類《にゅうるい》

■**名前《なまえ》**　ジャイアントパンダ
■**生息地《せいそくち》**　中国南西部《ちゅうごくなんせいぶ》の山地《さんち》
■**大《おお》きさ**　体長《たいちょう》1.2m
■**とくちょう**　手首《てくび》にふたつある出《で》っぱりを親指《おやゆび》がわりにしてササをつかむ

進化《しんか》の劇場《げきじょう》 2

魚《さかな》が好《す》きすぎたアザラシ

どうも、アザラシでやんす。
こう見《み》えて水族館《すいぞくかん》じゃ、ちょっとした人気者《にんきもの》でしてね。
芸《げい》ができるってんで、いつも黒山《くろやま》の人《ひと》だかりです。
それだけじゃありません。
じつはあっし、狩《か》りの名人《めいじん》でして。
海《うみ》ん中《なか》をスイスイっと泳《およ》いで、
魚《さかな》を口《くち》でつかまえるなんざ朝飯前《あさめしまえ》ってやつです。
でもね、大昔《おおむかし》、あっしらのご先祖《せんぞ》さまは
陸地《りくち》でくらしてたって話《はなし》でやんすよ。

それがはるばる海《うみ》までやって来《き》たのには、こんな説《せつ》がありましてねぇ……。

アザラシの祖先《そせん》は魚《さかな》が好《す》きだった。
もっと食《た》べたいな～
あっちには魚《さかな》がたくさんいそうだぞ
海《うみ》
魚《さかな》を求《もと》めてたどり着《つ》いたのは——海《うみ》
魚《さかな》どこだ？
こっちこっち
魚《さかな》～
海《うみ》には大好《だいす》きな魚《さかな》がいっぱい！
そしていつしか海《うみ》にぴったりの体《からだ》になっていた
あれ!? まあいいか
アザラシ誕生《たんじょう》

な

第《だい》4章《しょう》

ざんねん能力《のうりょく》

この章《しょう》では、「なんでそんなことするの？」と、
ふしぎでたまらなくなる能力《のうりょく》をもつ生《い》き物《もの》たちをご紹介《しょうかい》します。

パラパラ劇場《げきじょう》

コウイカの体《からだ》には、
ひみつがあるのです……

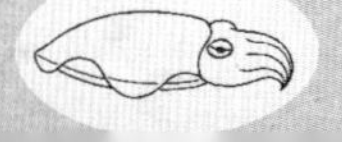

ソレノドンの毒《どく》は あまり意味《いみ》がない

ソレノドンはモグラのなかまで、ほ乳類《にゅうるい》としてはめずらしく毒《どく》をもっています。**えものにかみつくと、唾液《だえき》にふくまれる毒《どく》を前歯《まえば》の細《ほそ》いみぞから注入《ちゅうにゅう》する**のです。

しかしこの毒《どく》、実際《じっさい》にはあまり意味《いみ》がありません。かれらの食《た》べ物《もの》は昆虫《こんちゅう》やミミズなどの小《ちい》さな生《い》き物《もの》。**毒《どく》などなくても、問題《もんだい》なく食《た》べられます。**もともと、かれらが生息《せいそく》している島《しま》にはあまり敵《てき》がいなかったため、**身《み》を守《まも》るために毒《どく》を使《つか》うこともない**ようです。

そのため、人間《にんげん》が島《しま》に持《も》ちこんだイヌやネコに**おそわれても毒《どく》は役《やく》に立《た》たず、**かれらは絶《ぜっ》めつしそうになっています。

プロフィール

ほ乳類《にゅうるい》

■**名前《なまえ》** ハイチソレノドン
■**生息地《せいそくち》** カリブ海《かい》のイスパニョーラ島《とう》の森林《しんりん》
■**大《おお》きさ** 体長《たいちょう》30㎝
■**とくちょう** モグラのなかまの最大種《さいだいしゅ》

カメガエルははねられないし泳《およ》げない。水《みず》に入《はい》るとおぼれる

名前《なまえ》のとおり、カメににているカメガエルは、**カエルなのにジャンプすることも泳《およ》ぐこともできません**。そのかわり、大《おお》きな前足《まえあし》であなをほることができます。かれらはシロアリの巣《す》にもぐりこみ、シロアリを食《た》べているのです。

また、**卵《たまご》も水中《すいちゅう》ではなく、地中《ちちゅう》深《ふか》くにうみます**。卵《たまご》は直径《ちょっけい》が0.7㎜ほどで、中《なか》には栄養《えいよう》がたっぷり入《はい》っています。この栄養《えいよう》だけでカメガエルの子《こ》ども（オタマジャクシ）は成長《せいちょう》し、卵《たまご》から出《で》るころにはすでに小《ちい》さなカエルに変態《へんたい》※しています。

生活《せいかつ》はほぼモグラですが、それでもカメガエルはカエルなのです。

プロフィール

両生類《りょうせいるい》

- ■名前《なまえ》　カメガエル
- ■生息地《せいそくち》　オーストラリア西部《せいぶ》の地中《ちちゅう》
- ■大《おお》きさ　体長《たいちょう》6㎝
- ■とくちょう　大雨《おおあめ》のあと、地上《ちじょう》に出《で》てきて交尾《こうび》する

※昆虫《こんちゅう》や甲殻類《こうかくるい》などが、すがたを変《か》えながら成長《せいちょう》する方法《ほうほう》

テントウムシは鳥《とり》がはき出《だ》すほどまずい

赤《あか》や黄色《きいろ》の体色《たいしょく》に黒《くろ》や白《しろ》の水玉《みずたま》もようが、カラフルでかわいらしいテントウムシ。春《はる》から秋《あき》にかけて学校《がっこう》の花《か》だんなどでもつかまえられますが、**テントウムシは強《つよ》い刺激《しげき》を感《かん》じると体《からだ》から黄色《きいろ》い液体《えきたい》を出《だ》します**。これが、**とんでもなく苦《にが》い**のです。鳥《とり》もはき出《だ》すほどまずい液体《えきたい》を出《だ》すことで、体《からだ》の小《ちい》さなテントウムシは身《み》を守《まも》っています。

テントウムシがカラフルな色《いろ》をしているのも、じつはわざと目《め》立《だ》って「まずいよ！」とまわりに知《し》らせるため。いわれてみれば、**毒《どく》キノコっぽい色《いろ》**に見《み》えなくもありません。

プロフィール

昆虫類《こんちゅうるい》

- **名前《なまえ》**　ナナホシテントウ
- **生息地《せいそくち》**　北《きた》アフリカからユーラシアにかけての草地《くさち》
- **大《おお》きさ**　体長《たいちょう》7㎜
- **とくちょう**　草《くさ》の汁《しる》をすうアブラムシを食《た》べる

コモドオオトカゲの口《くち》の中《なか》はものすごくきたない

マナーには気《き》を
つけてるんだけど

動物《どうぶつ》は歯《は》をみがきませんが、食《た》べ物《もの》にほとんど糖分《とうぶん》がなく、生《なま》のままよくかんで食《た》べるため、**口《くち》の中《なか》は意外《いがい》と清潔《せいけつ》です**。

ところが、**コモドオオトカゲの口《くち》の中《なか》は、かなり不潔《ふけつ》**。かれらの口《くち》の中《なか》には、数種類《すうしゅるい》の「病原菌《びょうげんきん》」がすんでおり、えものの体《からだ》にかみつくと、それらの菌《きん》が体内《たいない》に入《はい》って肉《にく》をくさらせてしまうほどだといいます。

さらにかれらは、歯《は》の間《あいだ》から毒《どく》を流《なが》して、菌《きん》と毒《どく》の両方《りょうほう》でえものをしとめているようです。そのため運《うん》よくにげきっても、**菌《きん》と毒《どく》のダブルパワー**により、数時間《すうじかん》あとで死《し》にいたることもあります。

プロフィール

は虫類《ちゅうるい》

- ■**名前《なまえ》**　コモドオオトカゲ
- ■**生息地《せいそくち》**　インドネシアのコモド島《とう》などの森林《しんりん》
- ■**大《おお》きさ**　全長《ぜんちょう》3m
- ■**とくちょう**　交尾《こうび》をしないでメスだけで繁《はん》殖《しょく》をすることがある

カメレオンの色《いろ》が変《か》わるのは気《き》分《ぶん》しだい

カメレオンは、まわりの明《あか》るさに合《あ》わせて体《からだ》の色《いろ》があっという間《ま》に変化《へんか》しますが、じつは**そのときの気分《きぶん》で色《いろ》が変《か》わる**ことのほうが多《おお》いようです。その証拠《しょうこ》に、**カメレオンに目《め》かくしをしてもコロコロ色《いろ》が変《か》わります。**

カメレオンの種類《しゅるい》によって変《か》わる色《いろ》はちがいますが、**暑《あつ》ければうすい色《いろ》、おこったら赤《あか》い色《いろ》、おびえていると灰色《はいいろ》**というように、変《へん》化《か》する色《いろ》はかれらの気分《きぶん》と深《ふか》く関《かん》係《けい》しているようです。

せっかく森《もり》の緑《みどり》にうまくまぎれていたのに、**おこって赤《あか》くなったとたん敵《てき》に見《み》つかってしまった、**なんてこともあるとかないとか。

プロフィール

は虫《ちゅう》類《るい》

- **名前《なまえ》**　パンサーカメレオン
- **生息地《せいそくち》**　マダガスカル北部《ほくぶ》の森林《しんりん》
- **大《おお》きさ**　全長《ぜんちょう》40㎝
- **とくちょう**　幅《はば》が広《ひろ》くて低《ひく》いとさかをもつ

コウイカは体《からだ》の色《いろ》をあざやかに変化《へんか》させるが自分《じぶん》の色《いろ》は見《み》えていない

コウイカは、**体《からだ》の色《いろ》を一瞬《いっしゅん》で変《へん》化《か》させることができるため「海《うみ》のカメレオン」**ともよばれています。

コウイカの皮《ひ》ふには、**赤《あか》、黄《き》、こげ茶《ちゃ》、虹色《にじいろ》の4種類《しゅるい》の色素細胞《しきそさいぼう》があり**、これらを筋肉《きんにく》で動《うご》かしたり、組《く》み合《あ》わせたりすることで、あらゆる色《いろ》を再現《さいげん》できます。この特殊能力《とくしゅのうりょく》は、狩《か》りや敵《てき》から身《み》を守《まも》るときだけでなく、なかまどうしのコミュニケーションにも使《つか》われているそうです。

ただしコウイカの目《め》は、色《いろ》のちがいはわからず、こさを見分《みわ》けるのがせいいっぱい。いくら体《からだ》の色《いろ》を変《か》えようとも、**見《み》えている世界《せかい》は青《あお》1色《しょく》**なのだそうです。

プロフィール

頭足類《とうそくるい》

- **■名前《なまえ》**　コウイカ
- **■生息地《せいそくち》**　日本近海《にほんきんかい》から南《みなみ》シナ海《かい》の海《かい》底《てい》
- **■大《おお》きさ**　胴《どう》の長《なが》さ22㎝
- **■とくちょう**　体《からだ》の中《なか》に「甲《こう》」とよばれる細《ほそ》長《なが》い貝《かい》がらをもつ

シマリスのしっぽはかんたんに切《き》れるが、再生《さいせい》はしない

シマリスは、ふさふさのしっぽを上手《じょうず》に使《つか》って木《き》の上《うえ》でバランスをとったり、毛布《もうふ》がわりに抱《かか》えて眠《ねむ》ったりします。

とても便利《べんり》なしっぽですが、**引《ひ》っぱられるとかんたんにぬけます**。しっぽの骨《ほね》のまわりの毛《け》と皮《ひ》ふが、ずるっとむけてしまうのです。これはリスのなかまに共通《きょうつう》するとくちょうで、敵《てき》におそわれたときにしっぽを捨《す》ててにげるという、**トカゲと同《おな》じ発想《はっそう》の防御方法《ぼうぎょほうほう》**です。

ただし、リスのしっぽは再生《さいせい》しません。ペットとしても人気《にんき》のシマリスですが、**はしゃいでしっぽを持《も》つと地獄絵図《じごくえず》が広《ひろ》がることにもなる**ので、注意《ちゅうい》しましょう。

プロフィール

ほ乳類《にゅうるい》

■**名前《なまえ》**　シベリアシマリス
■**生息地《せいそくち》**　ユーラシア北部《ほくぶ》の森林《しんりん》
■**大《おお》きさ**　体長《たいちょう》13cm
■**とくちょう**　ほおの内側《うちがわ》のほお袋《ぶくろ》に食《た》べ物《もの》をつめこんで運《はこ》ぶ

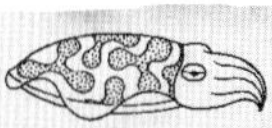

一匹《いっぴき》オオカミは弱《よわ》い

「一匹《いっぴき》オオカミ」という言葉《ことば》を辞《じ》書《しょ》でひくと、「組織《そしき》にたよらず、自《じ》分《ぶん》の力《ちから》だけで生《い》きていく人《ひと》」と書《か》いてあります。でも本当《ほんとう》は、1匹《ぴき》でくらしているものは、**オオカミ界《かい》ではむしろ弱《よわ》い立場《たちば》**なのです。

オオカミの子《こ》どもは、2才《さい》くらいまでに親《おや》のむれを出《で》て、ひとりぐらしを始《はじ》めます。その後《ご》、ペアになる相手《あいて》を探《さが》したり、別《べつ》のむれを乗《の》っ取《と》ったりして、「一匹《ぴき》オオカミ」を卒業《そつぎょう》するのですが、**力《ちから》のないオオカミは一生《いっしょう》1匹《ぴき》のまますごさなければなりません**。たくましいイメージとはうらはらに「**好《す》きで1匹《ぴき》でいるわけじゃない**」というのが、どうやら本音《ほんね》のようです。

プロフィール

ほ乳類《にゅうるい》

■名前《なまえ》　タイリクオオカミ
■生息地《せいそくち》　北《きた》アメリカとユーラシアの森《しん》林《りん》
■大《おお》きさ　体長《たいちょう》1.3m
■とくちょう　オスとメスのペアを中心《ちゅうしん》としたむれをつくる

ヤマネは冬眠中《とうみんちゅう》に起《お》こされると命《いのち》を落《お》とす

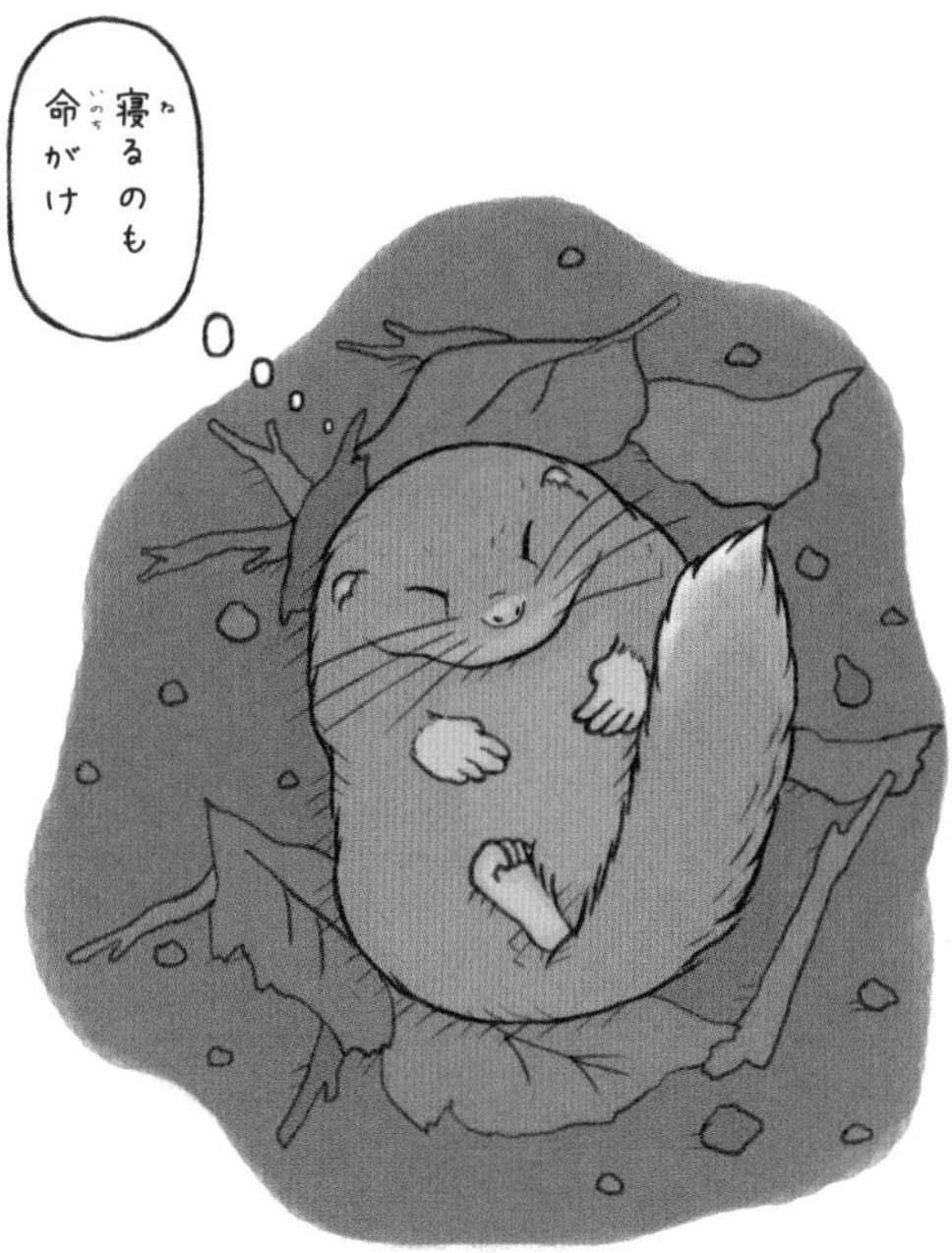

ヤマネは気温《きおん》が下《さ》がると、落《お》ち葉《ば》の下《した》などで冬眠《とうみん》をします。冬眠《とうみん》中《ちゅう》は死《し》んだように動《うご》きませんが、**決《けっ》して起《お》こしてはいけません。**「起《お》きても、また眠《ねむ》ればいい」と思《おも》うかもしれませんが、**冬眠中《とうみんちゅう》は体温《たいおん》が37℃から0℃近《ちか》くまで下《さ》がっている**ため、体温《たいおん》を上《あ》げるのにたくさんのエネルギーを使《つか》います。これには冬眠前《とうみんまえ》にためこんだ脂肪《しぼう》を使《つか》っていますが、ヤマネは体《からだ》が小《ちい》さく、あまり脂肪《しぼう》をたくわえることができません。

そのため、冬眠《とうみん》を何度《なんど》もじゃまされると、春《はる》が来《き》たときに体温《たいおん》を上《あ》げることができなくなり、**そのまま死亡《しぼう》してしまう**のです。

プロフィール

ほ乳類《にゅうるい》

■ **名前《なまえ》**　ニホンヤマネ
■ **生息地《せいそくち》**　日本《にほん》の山地《さんち》
■ **大《おお》きさ**　体長《たいちょう》7cm
■ **とくちょう**　背中《せなか》の黒《くろ》いすじは木《き》の枝《えだ》の影《かげ》と重《かさ》なり目立《めだ》ちにくい

ミツツボアリはたくさん蜜《みつ》をためるのに自分《じぶん》では食《た》べられない

あたしら、この蜜《みつ》食《た》べられないんだって
こんなにためたのに!?

ミツツボアリは、非常食《ひじょうしょく》として花《はな》の蜜《みつ》をためこみます。**ためるのは、なかまのおなかの中《なか》**です。

ミツツボアリには、蜜《みつ》を取《と》ってくる働《はたら》きアリと、おなかに蜜《みつ》をためる貯蔵《ちょぞう》アリがいます。働《はたら》きアリは蜜《みつ》を持《も》ち帰《かえ》ると、口移《くちうつ》しで貯蔵《ちょぞう》アリにわたし、貯蔵《ちょぞう》アリのおなかはパンパンにふくらんでいきます。すると、貯蔵《ちょぞう》アリは、**おなかがつぶれて中身《なかみ》が出《で》ないように、天井《てんじょう》にぶら下《さ》がる**のです。

しかし、どれだけ蜜《みつ》がたまろうと、自分《じぶん》で食《た》べることはありません。花《はな》のさかない季節《きせつ》になると、口《くち》から蜜《みつ》をはき出《だ》して、**ひたすらなかまに分《わ》けあたえる**のです。

プロフィール

昆虫類《こんちゅうるい》

- **名前《なまえ》**　ミツツボアリ
- **生息地《せいそくち》**　オーストラリアの砂漠《さばく》
- **大《おお》きさ**　体長《たいちょう》1.5cm(貯蔵《ちょぞう》アリ)
- **とくちょう**　蜜《みつ》は人間《にんげん》が食《た》べてもあまくておいしい

シロナガスクジラはシャチに負《ま》ける

シロナガスクジラは世界最大《せかいさいだい》の動物《どうぶつ》です。最大《さいだい》で体長《たいちょう》34m、体重《たいじゅう》190t《トン》にもなり、**絶滅《ぜつめつ》した恐竜《きょうりゅう》をふくめてもこれほど重《おも》い動物《どうぶつ》は見《み》つかっていません。**

そんな無敵《むてき》とも思《おも》えるシロナガスクジラをおそう動物《どうぶつ》がいます。**キラー・ホエール（殺《ころ》し屋《や》クジラ）**ともよばれる、シャチです。

シャチはするどい歯《は》をもち、魚《さかな》やオットセイなどを追《お》い回《まわ》してとらえる優秀《ゆうしゅう》なハンター。泳《およ》ぎの速《はや》いシロナガスクジラを、さらに上《うわ》回《まわ》るスピードで取《と》り囲《かこ》み、集団《しゅうだん》でおそいます。これは体重《たいじゅう》でくらべると、**人間《にんげん》が子《こ》ネコのむれに食《く》い殺《ころ》されるようなもの**です。

プロフィール

ほ乳類《にゅうるい》

- **名前《なまえ》**　シロナガスクジラ
- **生息地《せいそくち》**　世界中《せかいじゅう》の海《うみ》
- **大《おお》きさ**　体長《たいちょう》34m（最大《さいだい》）
- **とくちょう**　体長数《たいちょうすう》cmのオキアミや小魚《こざかな》を1日《にち》に数《すう》t《トン》食《た》べる

ズキンアザラシは鼻《はな》から風船《ふうせん》を出《だ》す

ズキンアザラシのオスは、黒《くろ》くてとても大《おお》きな鼻《はな》をもっています。かれらは争《あらそ》いになっても、傷《きず》つけ合《あ》うことはしません。そのかわりに、鼻《はな》のあなを閉《と》じて空気《くうき》を送《おく》りこみ、**鼻《はな》をより大《おお》きくふくらませた方《ほう》が勝《か》ちというルールで戦《たたか》います。**

しかし、お互《たが》いの鼻《はな》の大《おお》きさがあまり変《か》わらない場《ば》合《あい》、**戦《たたか》いは第《だい》2ステージに突入《とつにゅう》。**片方《かたほう》の鼻《はな》のあなから粘膜《ねんまく》を出《だ》して、ふくらませて見《み》せます。**今度《こんど》は粘膜《ねんまく》を大《おお》きくふくらませた方《ほう》が勝《か》ち**です。パンパンにふくらんだ粘膜《ねんまく》は、まるで大《おお》きな赤《あか》い風船《ふうせん》のようにも見《み》えます。

プロフィール

ほ乳類《にゅうるい》

■**名前《なまえ》**　ズキンアザラシ

■**生息地《せいそくち》**　北極海《ほっきょくかい》から北大西洋《きたたいせいよう》にかけての沿岸域《えんがんいき》

■**大《おお》きさ**　体長《たいちょう》2.4m

■**とくちょう**　母親《ははおや》が赤《あか》ちゃんに母乳《ぼにゅう》を与《あた》えるのは4日間《かかん》だけ

コオリウオは0℃の海《うみ》でも凍《こお》らない。でも、水温《すいおん》が3℃以上《いじょう》になると死《し》ぬ

　意外《いがい》かもしれませんが、温《あたた》かい海《うみ》よりも冷《つめ》たい海《うみ》のほうが生《い》き物《もの》はたくさんいます。水温《すいおん》が低《ひく》いほど水中《すいちゅう》の酸素《さんそ》の量《りょう》が多《おお》いため、プランクトンがふえ、それを食《た》べる魚《さかな》もふえるというわけです。

　コオリウオは特《とく》に極寒《ごっかん》の海《うみ》に適《てき》応《おう》しており、**たとえ水温《すいおん》が0℃以《い》下《か》になっても、かれらの体《からだ》は凍《こお》りません。**

　ところが、**水温《すいおん》が3℃以上《いじょう》になるとたちまち死《し》にます。**かれらの血液《けつえき》には、酸素《さんそ》を運《はこ》ぶ赤血球《せっけっきゅう》がありません。そのため、水温《すいおん》が高《たか》くなり、酸素《さんそ》の量《りょう》が少《すく》なくなると、**体中《からだじゅう》に酸素《さんそ》を運《はこ》べなくなって窒息《ちっそく》してしまう**のです。

プロフィール

硬骨魚類《こうこつぎょるい》

■名前《なまえ》　ジャノメコオリウオ
■生息地《せいそくち》　南極圏《なんきょくけん》の海《うみ》
■大《おお》きさ　全長《ぜんちょう》40㎝
■とくちょう　血液《けつえき》が無色《むしょく》とうめい

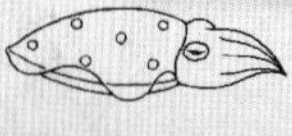

はちみつはじつはミツバチのゲロ

今《いま》までかくしてて
ごめんね

ミツバチが一生《いっしょう》かけて集《あつ》めるはちみつは、わずか5g。**小《ちい》さなティースプーン1ぱいていど**の量《りょう》ですが、集《あつ》めるのには、たいへんな時間《じかん》と労力《ろうりょく》がかかっています。

　花《はな》の蜜《みつ》をおなかにためて帰《かえ》った働《はたら》きバチは、巣《す》の中《なか》にいる働《はたら》きバチに蜜《みつ》をはきもどしてわたします。そのあとは順《じゅん》に巣《す》のおくにあるはちみつ貯蔵庫《ちょぞうこ》まで**バケツリレーのように口移《くちうつ》しで蜜《みつ》を運《はこ》ぶ**のです。

　口移《くちうつ》しをくり返《かえ》すうちに、蜜《みつ》からは水分《すいぶん》がぬけ、ねっとりしていきます。こうしてできたはちみつは、まさに**ミツバチたちの努力《どりょく》の結晶《けっしょう》**といえますが、もはや間接《かんせつ》キスどころのさわぎではありません。

プロフィール

昆虫類《こんちゅうるい》

■名前《なまえ》	セイヨウミツバチ	■大《おお》きさ	体長《たいちょう》1.3cm（働《はたら》きバチ）
■生息地《せいそくち》	世界中《せかいじゅう》で家《か》ちくとして飼《か》われる	■とくちょう	花《はな》の蜜《みつ》のほかに花粉《かふん》を後《うし》ろ足《あし》につけて巣《す》に運《はこ》ぶ

チンパンジーがしゃべれないのは、のどの構造《こうぞう》のせい

言葉《ことば》はわかるんだけどね
どうしてしゃべらないの？

チンパンジーは５００万年前《まんねんまえ》に人間《にんげん》と共通《きょうつう》の祖先《そせん》から分《わ》かれた動《どう》物《ぶつ》です。とてもかしこく、手話《しゅわ》で人間《にんげん》と話《はな》すこともできます。

しかし、人間《にんげん》のように言葉《ことば》をしゃべることはできません。なぜなら**チンパンジーは口《くち》で呼吸《こきゅう》ができないから**です。口呼吸《くちこきゅう》ができるのは、ほ乳類《にゅうるい》のなかでも人間《にんげん》だけ。イヌがハアハアするのも、じつは体温《たいおん》を下《さ》げるためなのです。

チンパンジーは人間《にんげん》のように口《くち》から出《だ》す息《いき》の量《りょう》を調節《ちょうせつ》できないため、細《こま》かい発音《はつおん》の使《つか》い分《わ》けをまねできません。**これは脳《のう》の進化《しんか》にのどが追《お》いついていない、ひじょうにおしい状態《じょうたい》**といえます。

プロフィール

ほ乳類《にゅうるい》

■名前《なまえ》　チンパンジー
■生息地《せいそくち》　アフリカの森林《しんりん》
■大《おお》きさ　身長《しんちょう》80㎝
■とくちょう　肉食性《にくしょくせい》が強《つよ》く、小型《こがた》のサルをおそう

マンボウの99・99%は おとなになれない

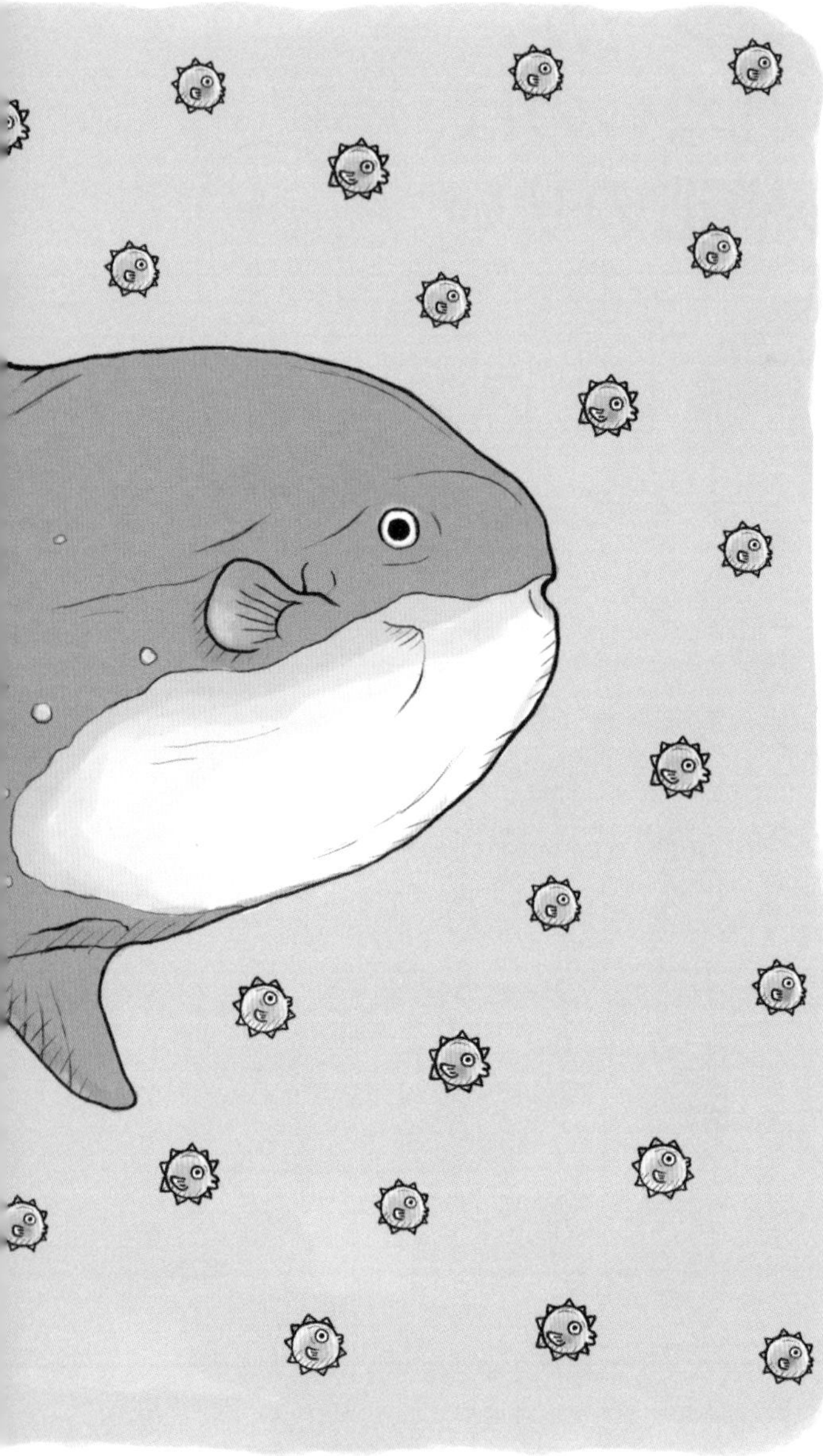

マンボウは全長《ぜんちょう》3m、体重《たいじゅう》2t《トン》を超《こ》える世界《せかい》で最《もっと》も重《おも》い硬骨魚類《こうこつぎょるい》です。卵《たまご》はわずか1・5㎜ほどですが、最大級《さいだいきゅう》のメスになると**3億《おく》個《こ》もの卵《たまご》をうみます。**

　これらの卵《たまご》がすべておとなになれば、海《うみ》はマンボウだらけになるはずです。しかしかれらは**泳《およ》ぐのがおそく、これといった防御手段《ぼうぎょしゅだん》もありません**。そのため、3億《おく》個《こ》の卵《たまご》のうち、おとなになれるのは、おそらく2匹《ひき》ていど。確率《かくりつ》でいうと99・999999%が死《し》んでしまうのです。

　マンボウにとって、おとなになるのは、**宝《たから》くじで1等《とう》を当《あ》てるよりも、10倍以上《ばいいじょう》むずかしい**ことなのです。

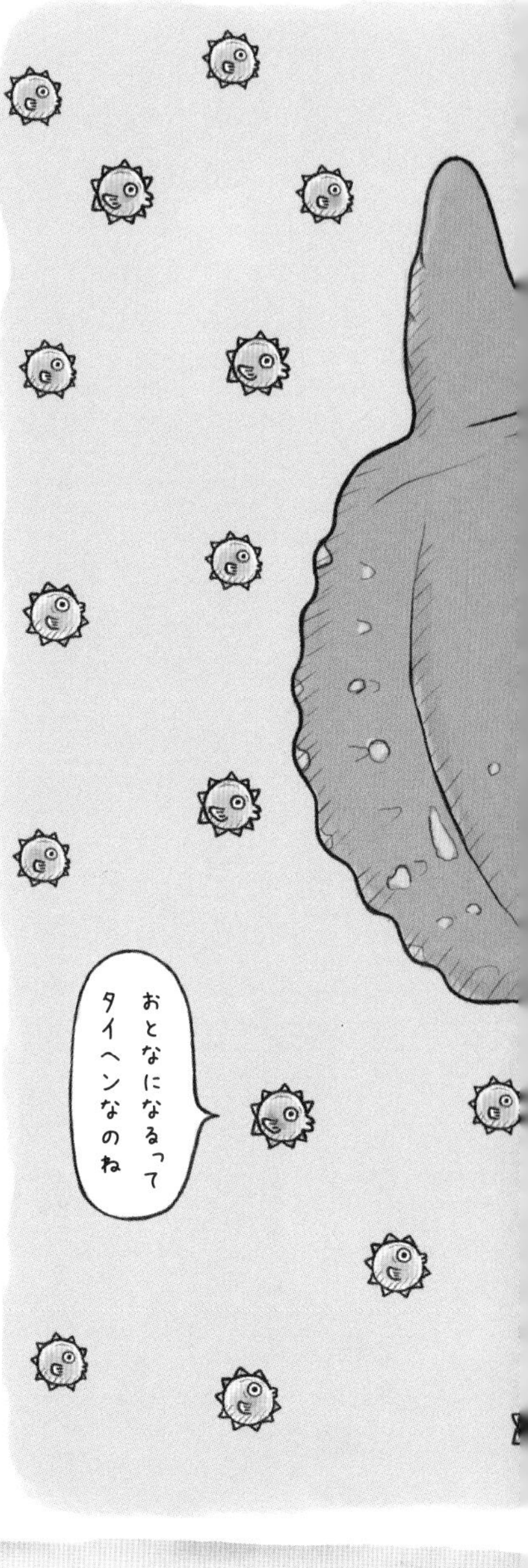
おとなになるって
タイヘンなのね

プロフィール

硬骨魚類《こうこつぎょるい》

■**名前《なまえ》**　マンボウ
■**生息地《せいそくち》**　温帯《おんたい》から熱帯《ねったい》の海《うみ》
■**大《おお》きさ**　全長《ぜんちょう》1.8m
■**とくちょう**　長《なが》い背《せ》びれ（上《うえ》）と尻《しり》びれ（下《した》）をゆらめかせて泳《およ》ぐ

サソリは紫外線《しがいせん》を当《あ》てると光《ひか》るが意味《いみ》はない

1万円札《まんえんさつ》などに紫外線《しがいせん》を当《あ》てると表面《ひょうめん》に書《か》かれた「NIPPON《ニッポン》」の文字《もじ》が光《ひか》ります。これはそのお札《さつ》が本物《ほんもの》かどうかを見極《みきわ》めるためです。同《おな》じように、**サソリの体《からだ》に紫《し》外線《がいせん》を当《あ》てると青緑色《あおみどりいろ》に光《ひか》ります。**

しかしとくに意味《いみ》はありません。昆虫《こんちゅう》など、紫外線《しがいせん》を見《み》ることができる生《い》き物《もの》は少《すく》なくありませんが、そもそも**夜行性《やこうせい》であるサソリは、紫外線《しがいせん》をあびることが少《すく》なく、見《み》ることすらできない**ようです。

それでもサソリが発光《はっこう》するのは、大昔《おおむかし》、昼《ひる》に活動《かつどう》していた祖先《そせん》が、有害《ゆうがい》な紫外線《しがいせん》を反射《はんしゃ》していた機能《きのう》が**無《む》意味《いみ》に残《のこ》った結果《けっか》**だと考《かんが》えられています。

プロフィール

鋏角類《きょうかくるい》

- **名前《なまえ》**　ダイオウサソリ
- **生息地《せいそくち》**　アフリカの森林《しんりん》
- **大《おお》きさ**　体長《たいちょう》20㎝
- **とくちょう**　世界最大《せかいさいだい》のサソリ

ムササビは木《き》からおりるのがものすごく苦手《にがて》

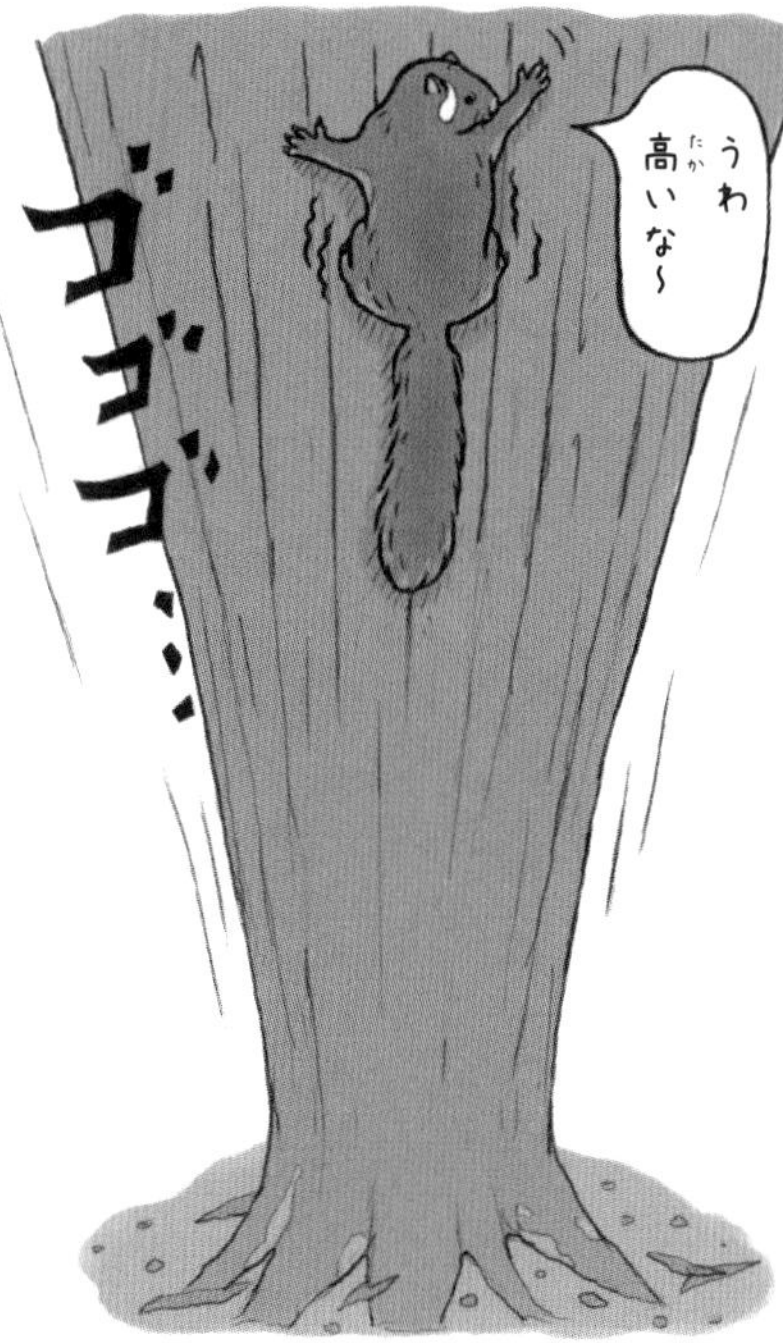

ムササビは、マントのような皮《ひ》膜《まく》を広《ひろ》げて、**木《き》の上《うえ》から100m以《い》上《じょう》も滑《かっ》空《くう》できます。**

まさに「**空《そら》飛《と》ぶリス**」ですが、意《い》外《がい》なことに木《き》をおりるのは大《だい》の苦手《にがて》です。シマリスなら頭《あたま》を下《した》にしてサササッとかけおりますが、ムササビは頭《あたま》を上《うえ》にしたまま**「押《お》すなよ、押《お》すなよ？」と一歩《いっぽ》ずつ後《あと》ずさるようにおりる**のです。

これはかれらの滑空能力《かっくうのうりょく》と関係《かんけい》があります。ムササビは、着地《ちゃくち》の衝撃《しょうげき》を受《う》け止《と》めるために手首《てくび》が太《ふと》く、自由《じゆう》に動《うご》かせません。しかも体《からだ》は日本《にほん》のリスのなかで最大《さいだい》なので、**身軽《みがる》なシマリスのまねをしたら即落下《そくらっか》してしまう**のです。

プロフィール

ほ乳類《にゅうるい》

- **名前《なまえ》**　ムササビ
- **生息地《せいそくち》**　日本《にほん》の山地《さんち》
- **大《おお》きさ**　体長《たいちょう》37㎝
- **とくちょう**　体長《たいちょう》と同《おな》じくらい長《なが》いしっぽをもつ

モグラがトンネルをほるスピードは、カタツムリが進《すす》む速《はや》さとほぼ同《おな》じ

モグラは、シャベルのような前《まえ》足《あし》で土《つち》にあなをほります。しかし、その**スピードは1時間《じかん》にたったの80cmほど**。これはカタツムリが進《すす》む速《はや》さとあまり変《か》わりません。

そもそも、あなをほるのはたいへんな重労働《じゅうろうどう》。モグラもできればほりたくありません。そのため、ふだんはすでにほってあるトンネルを行《い》き来《き》するだけで、**新《あたら》しくほることはあまりない**のです。

たまにうっかりほりすぎて、となりのモグラのトンネルにあなを開《あ》けてしまうと、**大《おお》げんかの末《すえ》に地上《ちじょう》へ追《お》い出《だ》されてしまう**こともあるので、むやみにほりまくると命《いのち》にかかわります。

プロフィール

ほ乳類《にゅうるい》

■**名前《なまえ》** アズマモグラ
■**生息地《せいそくち》** 日本《にほん》の地中《ちちゅう》
■**大《おお》きさ** 体長《たいちょう》14cm
■**とくちょう** トンネルの奥《おく》にボール状《じょう》の巣《す》をつくり繁殖《はんしょく》する

ミジンコはピンチになると頭《あたま》がとがる。しかし、ほとんど効果《こうか》がない

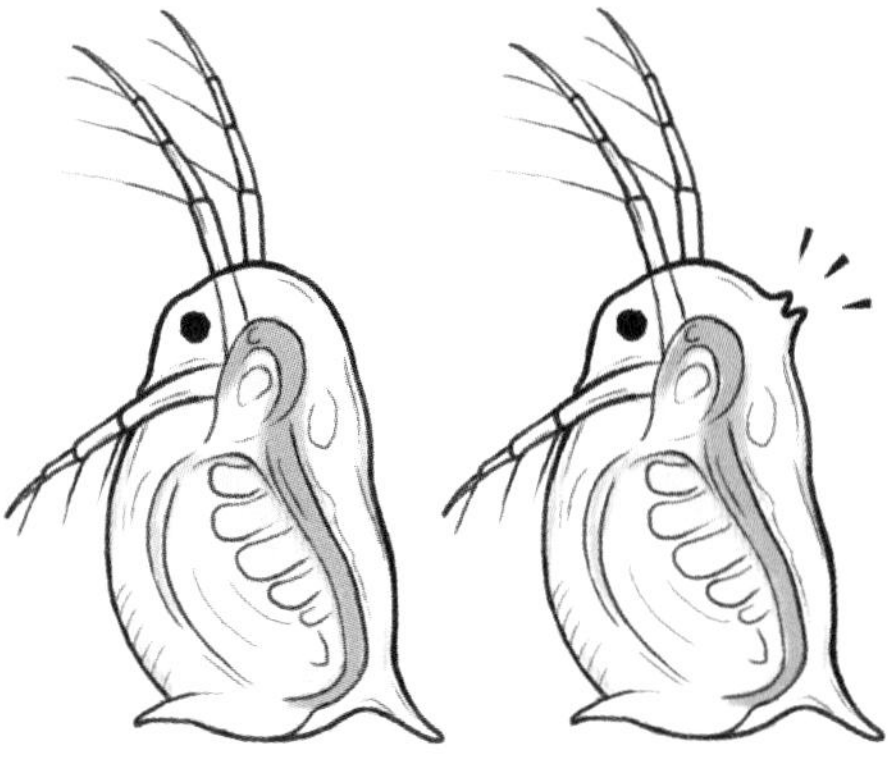

Before《ビフォア》 → After《アフター》

ミジンコはとても小《ちい》さいため、**いろいろな生《い》き物《もの》に食《た》べられてしまいます**。なかでも天敵《てんてき》なのが、ボウフラとよばれるカの幼虫《ようちゅう》。かれらはミジンコが大好物《だいこうぶつ》です。

でも、ミジンコもだまって食《た》べられているわけではありません。ボウフラから身《み》を守《まも》るためにある「秘技《ひぎ》」をあみだしました。その方法《ほうほう》とは、**頭《あたま》に角《つの》を生《は》やす**というもの。頭《あたま》の大《おお》きさを少《すこ》しだけ大《おお》きくして、ボウフラの口《くち》に入《はい》らないようにするのです。

ただし、**角《つの》が生《は》えるには丸一日《まるいちにち》近《ちか》くかかる**ため、いきなり敵《てき》が目《め》の前《まえ》にあらわれたときは、ジ・エンドです。

プロフィール

甲殻類《こうかくるい》

- **名前《なまえ》**　ミジンコ
- **生息地《せいそくち》**　北半球《きたはんきゅう》の川《かわ》や湖《みずうみ》
- **大《おお》きさ**　体長《たいちょう》2㎜
- **とくちょう**　プランクトンを食《た》べて水《みず》をきれいにする

カメムシは、自分《じぶん》のにおいがくさすぎて気絶《きぜつ》する

カメムシは、昆虫界《こんちゅうかい》のなかでも**くさい虫《むし》のチャンピオン**です。

かれらは敵《てき》におそわれると、足《あし》のつけ根《ね》から**強烈《きょうれつ》なにおいを放《はな》つ液体《えきたい》を発射《はっしゃ》**して敵《てき》を撃退《げきたい》します。

しかも、ただくさいだけではありません。においのもとであるアルデヒドとよばれる化学物質《かがくぶっしつ》には、**毒性《どくせい》がある**のです。

そのため、せまい容器《ようき》にカメムシを閉《と》じこめて刺激《しげき》すると、かれらは**自分《じぶん》が出《だ》した液体《えきたい》のにおいにやられて気絶《きぜつ》してしまいます。**

このとき、カメムシをすぐに取《と》り出《だ》せば、やがて復活《ふっかつ》しますが、**容器《ようき》に放置《ほうち》しておくと、そのまま死《し》んでしまう**のです。

プロフィール

昆虫類《こんちゅうるい》

■**名前《なまえ》**　チャバネアオカメムシ
■**生息地《せいそくち》**　日本《にほん》の森林《しんりん》
■**大《おお》きさ**　体長《たいちょう》1㎝
■**とくちょう**　なかまを集《あつ》めるときには、くさくないにおいを出《だ》す

クモは運《うん》にまかせて空《そら》を飛《と》ぶ

クモは糸《いと》でつくった卵《らん》のうの中《なか》に卵《たまご》をうみます。そして**うまれた子《こ》どもたちがあるていど大《おお》きくなると、旅立《たびだ》ちのとき**。多《おお》くのクモはバルーニング（風船飛行《ふうせんひこう》）という方法《ほうほう》で各地《かくち》に散《ち》ります。

風《かぜ》の強《つよ》い日《ひ》、子《こ》どもたちはおしりを空《そら》に向《む》け、糸《いと》を出《だ》します。風《かぜ》が糸《いと》をとらえると、**空《そら》に向《む》かって風船《ふうせん》のように飛《と》んでいきます**が、こうなってしまったら、どこに連《つ》れて行《い》かれるのかわかりません。

いつまでも地上《ちじょう》に下《お》りられずうえ死《じ》にしたり、海《うみ》に落《お》ちておぼれ死《し》んだりと、運命《うんめい》はハード。いい風《かぜ》に乗《の》った幸運《こううん》なクモだけが、新天地《しんてんち》にたどり着《つ》けるのです。

プロフィール

鋏角類《きょうかくるい》

■**名前《なまえ》**　ジョロウグモ
■**生息地《せいそくち》**　アジアの人家《じんか》や山地《さんち》
■**大《おお》きさ**　体長《たいちょう》2.5㎝（メス）
■**とくちょう**　オスはメスの半分以下《はんぶんいか》のサイズしかない

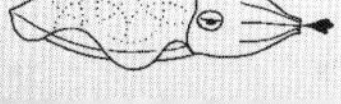

サバクツノトカゲはピンチになると、目《め》から血《ち》を出《だ》す

砂漠《さばく》にすむサバクツノトカゲは、まわりの岩《いわ》や地面《じめん》に色《いろ》を似《に》せ、さらにトゲで全身《ぜんしん》を守《まも》っています。そうしていても、タカやヘビ、コヨーテなどの動物《どうぶつ》に、**のべつまくなしにおそわれます**。

しかし、まだ望《のぞ》みはすてません。かれらは敵《てき》から攻撃《こうげき》を受《う》け、「もうダメだ」とさとった瞬間《しゅんかん》、**目《め》からビームのように血液《けつえき》を飛《と》ばします**。その量《りょう》は、なんと**体内《たいない》の血液《けつえき》の4分《ぶん》の1**。うまく相手《あいて》の目《め》に当《あ》たれば、敵《てき》はおどろきその場《ば》から立《た》ち去《さ》ります。

しかし、かれらがいるのは水《みず》も食《た》べ物《もの》も少《すく》ない砂漠地帯《さばくちたい》。その後《ご》体力《たいりょく》を回復《かいふく》できず、**出血多量《しゅっけつたりょう》でそのまま死《し》ぬ**こともあるようです。

プロフィール

は虫類《ちゅうるい》

- **名前《なまえ》**　サバクツノトカゲ
- **生息地《せいそくち》**　北《きた》アメリカ南西部《なんせいぶ》の砂漠《さばく》
- **大《おお》きさ**　全長《ぜんちょう》10㎝
- **とくちょう**　体《からだ》が平《ひら》べったい

チンアナゴのけんかはしょぼい

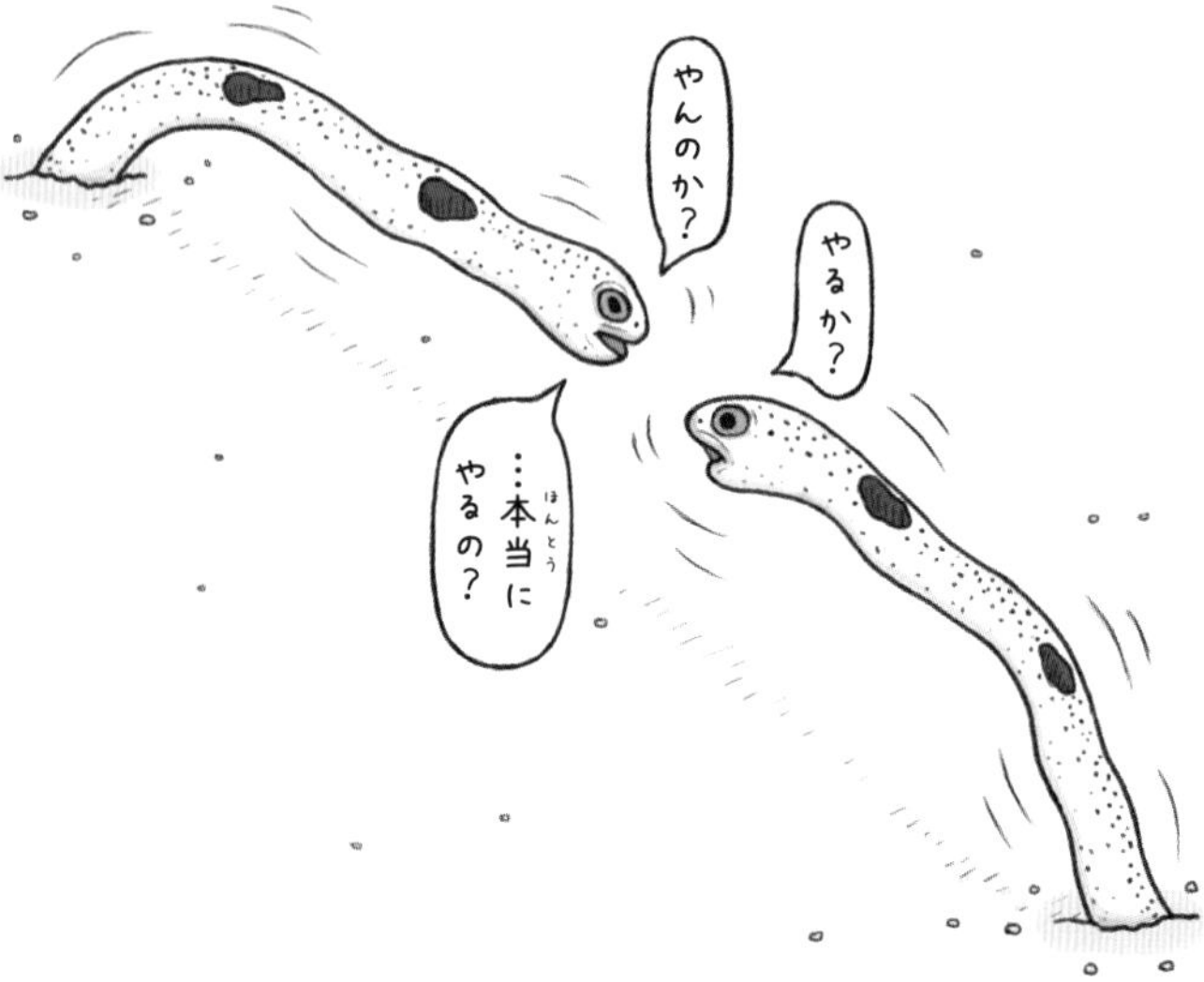

チンアナゴは海底《かいてい》の砂地《すなち》にあなをほり、そこから上半身《じょうはんしん》だけ出《だ》してプランクトンを食《た》べています。

顔《かお》を出《だ》す位置《いち》が高《たか》ければ高《たか》いほど、食《た》べ物《もの》をたくさん口《くち》にできるため、**顔出《かおだ》し位置《いち》をめぐってけんかになる**ことがあります。けんかが始《はじ》まると口《くち》を大《おお》きく開《あ》けて相手《あいて》をいかくしながらニョロニョロと体《からだ》をくねらせますが、それ以上《いじょう》、とくに何《なに》も起《お》きません。**どちらもあなから出《で》る気《き》はいっさいなし。**直接攻撃《ちょくせつこうげき》もなしの、非常《ひじょう》に平和《へいわ》なけんかです。そもそも、となりのアナゴとしかけんかできないので、**勝《か》ったからといって大《たい》して有《ゆう》利《り》にもならない**ようです。

プロフィール

硬骨魚類《こうこつぎょるい》

- **名前《なまえ》** チンアナゴ
- **生息地《せいそくち》** 太平洋西部《たいへいようせいぶ》からインド洋《よう》にかけての砂底《さてい》
- **大《おお》きさ** 全長《ぜんちょう》40㎝
- **とくちょう** おくびょうで敵《てき》が近《ちか》づくとあなにひっこんでかくれる

クマムシが無敵《むてき》なのは乾燥《かんそう》しているときだけ

150℃の高熱《こうねつ》にもマイナス273℃の低温《ていおん》にも負《ま》けず、宇宙空間《うちゅうくうかん》で10日間《かかん》生《い》き残《のこ》り、30年間冷凍《ねんかんれいとう》保存《ほぞん》されても復活《ふっかつ》する……。

地球最強《ちきゅうさいきょう》の生物《せいぶつ》ともよばれるクマムシですが、じつは急《きゅう》な乾燥《かんそう》には弱《よわ》く、ドライヤーの風《かぜ》でかわかすとあっさり死《し》にます。

クマムシが最強《さいきょう》なのは、たる※（クリプトビオシス）状態《じょうたい》のときだけ。でも、この状態《じょうたい》になるには**ゆっくり時間《じかん》をかけて体《からだ》の水分《すいぶん》をぬいていく必要《ひつよう》があるのです。**

しかも、たる状態《じょうたい》のかたさは昆虫《こんちゅう》のノミていど。いかに過酷《かこく》な環境《かんきょう》に強《つよ》くても、**鉛筆《えんぴつ》でつつけばかんたんにつぶれてしまう**のです。

プロフィール

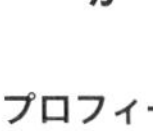
真《しん》クマムシ類《るい》

- **名前《なまえ》**　オニクマムシ
- **生息地《せいそくち》**　世界中《せかいじゅう》の湿地《しっち》や海辺《うみべ》
- **大《おお》きさ**　体長《たいちょう》1mm
- **とくちょう**　たる状態《じょうたい》にならなければ、寿命《じゅみょう》は4か月《げつ》ていど

※クマムシが乾燥《かんそう》して休眠《きゅうみん》している状態《じょうたい》

タツノオトシゴの最高時速《さいこうじそく》は、たったの1・5m

パタパタパタ
待《ま》ち合《あ》わせにおくれちゃう

タツノオトシゴは、**名前《なまえ》のとおり竜《りゅう》の赤《あか》ちゃんのような形《かたち》をしていますが**、これでも魚《さかな》です。ふだんはくるっと巻《ま》いた尾《お》を海《かい》そうに巻《ま》きつけ、流《なが》されないようにしています。こうしていると**海《かい》そうの一部《いちぶ》のように見《み》えて、敵《てき》におそわれにくい**のでしょう。

ほとんど泳《およ》ぐことのないかれらですが、流《なが》されてしまったり、交《こう》尾《び》の相手《あいて》を探《さが》したりするときは、小《ちい》さな胸《むな》びれをパタパタ動《うご》かして泳《およ》ぎます。

しかしその**最高速度《さいこうそくど》は1時間《じかん》にたったの1・5m**。魚《さかな》のなかで最《もっと》もおそいとされるほど、泳《およ》ぎが苦《に》手《て》なのです。

プロフィール

硬骨魚類《こうこつぎょるい》

- **名前《なまえ》** ドワーフシーホース（タツノオトシゴの一種《いっしゅ》）
- **生息地《せいそくち》** カリブ海《かい》からメキシコ湾《わん》の沿岸域《えんがんいき》
- **大《おお》きさ** 全長《ぜんちょう》2.3㎝
- **とくちょう** オスがおなかの中《なか》で子《こ》どもを育《そだ》てる

ハダカデバネズミは おしっこをかけられると 子《こ》どもがうめなくなる

ハダカデバネズミは地中《ちちゅう》にほったあなの中《なか》で、100匹《ぴき》ほどのむれでくらしています。そのなかで、いちばん大《おお》きいのが女王《じょおう》。女王以《じょおうい》外《がい》のメスは子《こ》どもをうみませんが、これは**女王《じょおう》の「呪《のろ》い」のせい**です。

女王《じょおう》は巣《す》の中《なか》をパトロールして、**メスたちにたびたびおしっこをかけます**。するとメスたちは、**子《こ》どもをつくる気《き》をなくしてしまう**ようなのです。

女王《じょおう》が死《し》ぬと、メスたちは再《ふた》び子《こ》どもをつくれるようになります。しかし、そのなかから新女王《しんじょおう》が誕《たん》生《じょう》すると、ほかのメスはやはりおしっこの呪《のろ》いをかけられ、子《こ》どもをつくれなくなってしまうのです。

プロフィール

ほ乳類《にゅうるい》

■ **名前《なまえ》**　ハダカデバネズミ
■ **生息地《せいそくち》**　東《ひがし》アフリカの地中《ちちゅう》
■ **大《おお》きさ**　体長《たいちょう》8.5㎝
■ **とくちょう**　体《からだ》にはほとんど毛《け》が生《は》えていない

コアリクイのいかくはまったくこわくない

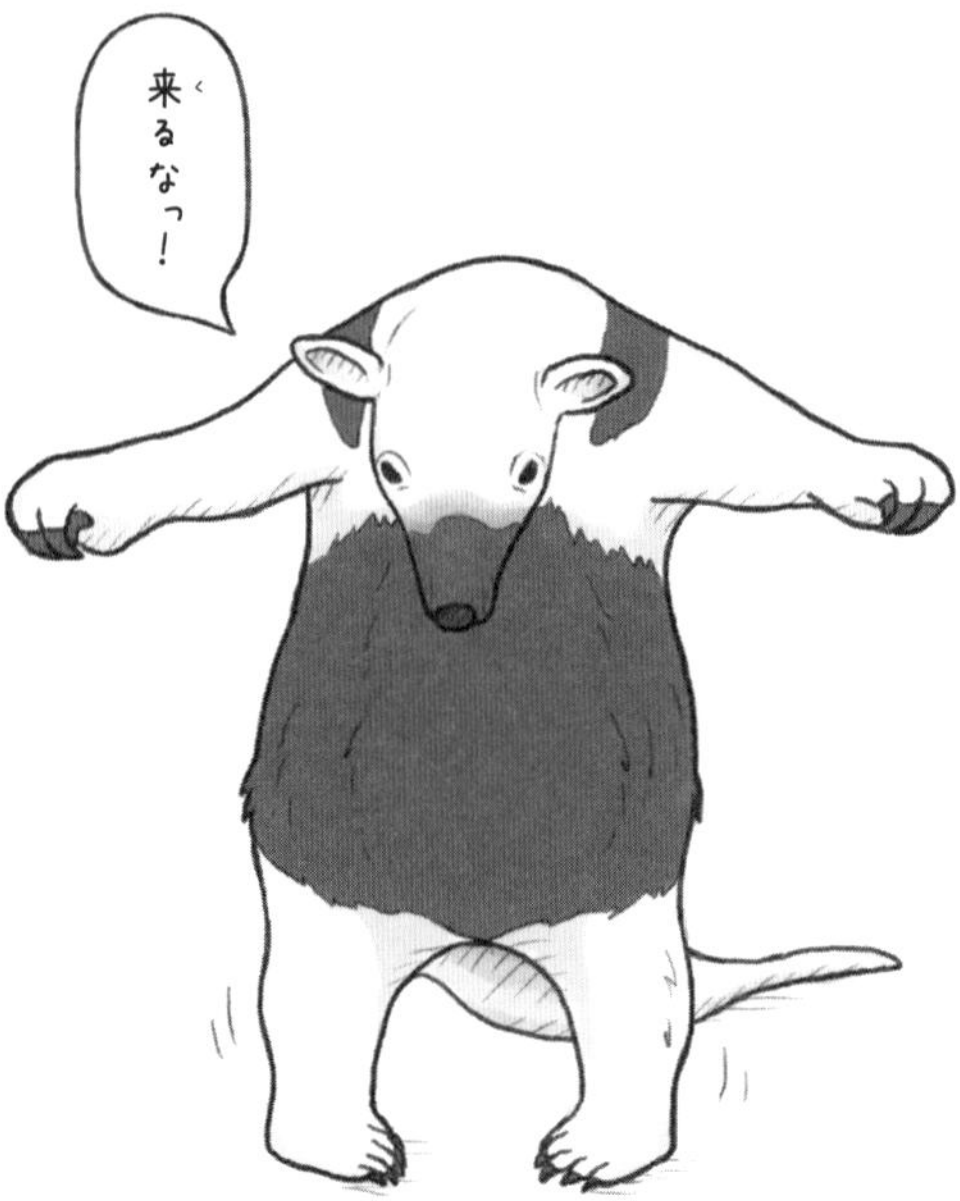

コアリクイの最大《さいだい》の武器《ぶき》は、長《なが》くがんじょうな前足《まえあし》の爪《つめ》。これでシロアリのかたい巣《す》をこわして、中《なか》のシロアリを食《た》べます。

ふだんは安全《あんぜん》のため木《き》の上《うえ》にいることが多《おお》いのですが、食事《しょくじ》で地《ち》上《じょう》におりたときに、ピューマやジャガーなどの天敵《てんてき》に出会《であ》うこともあります。するとコアリクイは**後《うし》ろ足《あし》ですっくと立《た》ち、前足《まえあし》をピンとのばしていかくする**のです。

これは自分《じぶん》の強《つよ》さを示《しめ》す戦《たたか》いのポーズなのですが、見《み》てのとおり、**まったくこわくありません。**実際《じっさい》に敵《てき》もひるまないので、効果《こうか》がないとみると、**そろそろと後《あと》ずさりでにげ出《だ》す**そうです。

プロフィール

ほ乳類《にゅうるい》

■**名前《なまえ》** ミナミコアリクイ

■**生息地《せいそくち》** 南《みなみ》アメリカの森林《しんりん》やサバンナ

■**大《おお》きさ** 体長《たいちょう》70㎝

■**とくちょう** しっぽで木《き》の枝《えだ》につかまることができる

カクレウオのかくれ家《が》は ナマコの肛門《こうもん》

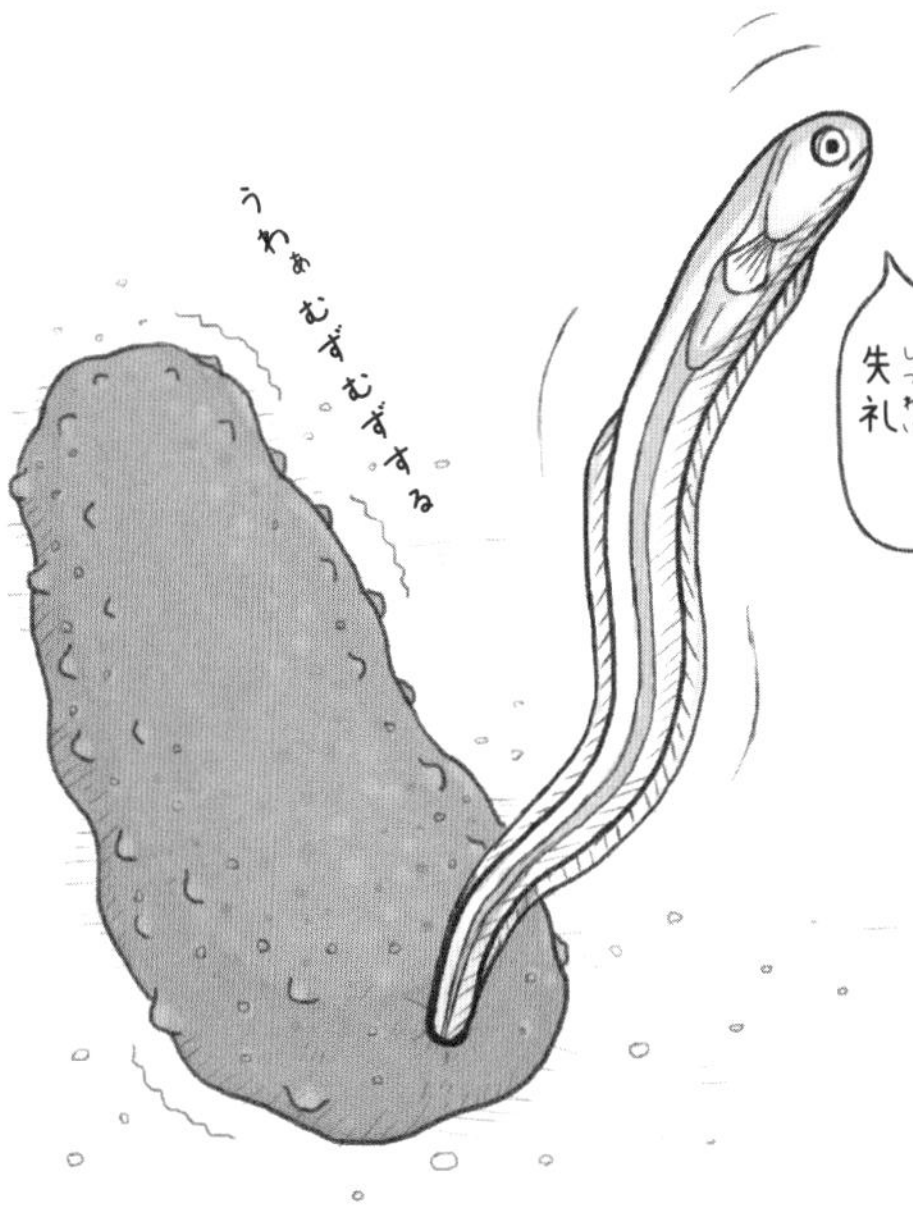

カクレウオは、名前《なまえ》のとおり**ナマコを家《いえ》にして、かくれています**。昼《ひる》はナマコの体内《たいない》で安全《あんぜん》にすごし、夜《よる》になると食事《しょくじ》に出《で》かけ、おなかがいっぱいになるとナマコのおしりに帰宅《きたく》します。

カクレウオの体《からだ》には出《で》っぱりがなく、頭《あたま》から尾《お》に向《む》かって細《ほそ》くなっています。そのためナマコの肛門《こうもん》を出入《でい》りするときは、**いつも尾《お》から決《き》まっている**ようです。

こうして安全《あんぜん》を確保《かくほ》しているカクレウオですが、**ナマコにはなんのメリットもありません**。しかし体《からだ》を動《うご》かせないため、ずうずうしい魚《さかな》が肛門《こうもん》から出入《でい》りするのを、だまってたえるしかないのです。

プロフィール

- **名前《なまえ》**　カクレウオ
- **生息地《せいそくち》**　太平洋西部《たいへいようせいぶ》の海底《かいてい》

硬骨魚類《こうこつぎょるい》

- **大《おお》きさ**　全長《ぜんちょう》20㎝
- **とくちょう**　うろこがなく、なめらかな体《からだ》をしている

ハエは足《あし》のうらで味《あじ》を感《かん》じる

うん、これはウマイ
ぺたぺた

昆虫《こんちゅう》には決《き》まった植物《しょくぶつ》しか食《た》べないものが多《おお》く、その植物《しょくぶつ》であることさえ確認《かくにん》できれば、味《あじ》はあまり関係《かんけい》ありません。ところが、**なんでも食《た》べるハエは、意外《いがい》とグルメ**。好《す》きな食《た》べ物《もの》を選《えら》ぶために味《み》覚《かく》が発達《はったつ》しているようです。

ハエは口《くち》でも味《あじ》を感《かん》じますが、**味見《あじみ》をするのはなんと前足《まえあし》**。前足《まえあし》の先《さき》に味《あじ》を感《かん》じる毛《け》が生《は》えていて、ふれるだけで味《あじ》がわかります。

超能力《ちょうのうりょく》のようでうらやましい気《き》もしますが、ハエが好《この》むのは、おもに動物《どうぶつ》のくさった肉《にく》や排《はい》せつ物《ぶつ》。**うんこをふんだら味《あじ》も伝《つた》わってくる**なんて、想像《そうぞう》するだけでぞっとする話《はなし》です。

プロフィール

昆虫類《こんちゅうるい》

■**名前《なまえ》**　イエバエ
■**生息地《せいそくち》**　世界中《せかいじゅう》の人家周辺《じんかしゅうへん》
■**大《おお》きさ**　体長《たいちょう》7㎜
■**とくちょう**　動物《どうぶつ》のふんや生《なま》ごみに卵《たまご》をうみつける

ノミはジャンプが得意《とくい》。でも立《た》てない

　ノミは動物界《どうぶつかい》のスーパージャンパー。自分《じぶん》の体長《たいちょう》の１００倍《ばい》の高《たか》さまでジャンプできます。人間《にんげん》にたとえれば、**小学《しょうがく》1年生《ねんせい》の子《こ》どもが大阪《おおさか》の通天閣《つうてんかく》をよゆうで飛《と》びこえるくらいのジャンプ力《りょく》**です。

　この驚異《きょうい》のジャンプ力《りょく》を生《う》み出《だ》すのが、異常《いじょう》に長《なが》く発達《はったつ》した後《うし》ろ足《あし》。しかし後《うし》ろ足《あし》だけが細長《ほそなが》すぎてバランスが悪《わる》く、**着地《ちゃくち》どころか立《た》つこともできません**。

　動物《どうぶつ》の血《ち》をすって生《い》きるノミは、いつも毛《け》に囲《かこ》まれているため、自分《じぶん》で体《からだ》をささえる必要《ひつよう》がありません。そのため、後《うし》ろ足《あし》はとびはねて動物《どうぶつ》の体《からだ》に取《と》りつくためだけのものとなったのです。

プロフィール

昆虫類《こんちゅうるい》

■**名前《なまえ》**　ネコノミ
■**生息地《せいそくち》**　世界中《せかいじゅう》のネコやイヌの体《からだ》の表面《ひょうめん》
■**大《おお》きさ**　体長《たいちょう》2㎜
■**とくちょう**　イヌやネコに寄生《きせい》して皮《ひ》ふから血《ち》をすう

チーターはスピードに特化《とっか》しすぎて肉食動物《にくしょくどうぶつ》なのに弱《よわ》い

おれがとった
えものなのにな…

チーターは、とことん「走《はし》り」を追求《ついきゅう》した動物《どうぶつ》です。あらゆる生《い》き物《もの》のなかで最速《さいそく》の**時速《じそく》100km以上《いじょう》で走《はし》れるうえに、スポーツカーよりも早《はや》く加速《かそく》できる**といわれています。

速《はや》く走《はし》るのに重《おも》たい体《からだ》はじゃまなので、頭《あたま》は小《ちい》さく足《あし》はすらっと細長《ほそなが》い、モデル体形《たいけい》に進化《しんか》しました。しかし、かわりに失《うしな》ったのが、攻撃力《こうげきりょく》と防御力《ぼうぎょりょく》。がっしりした体形《たいけい》が多《おお》い**大型肉食獣《おおがたにくしょくじゅう》のなかでは、最弱《さいじゃく》レベル**です。

そのため、ほかの大型肉食獣《おおがたにくしょくじゅう》におどされるとすぐににげ出《だ》してしまうので、**せっかくつかまえたえものをハイエナなどにうばわれるのは日常茶飯事《にちじょうさはんじ》**です。

プロフィール

ほ乳類《にゅうるい》

- **名前《なまえ》**　チーター
- **生息地《せいそくち》**　アフリカから南《みなみ》アジアにかけてのサバンナ
- **大《おお》きさ**　体長《たいちょう》1.3m
- **とくちょう**　ネコのなかまなのに足《あし》の爪《つめ》がひっこまない

進《しん》化《か》の劇場《げきじょう》

3 夜《よる》に生《い》きるコウモリの事情《じじょう》

おれはコウモリ。
まぁ「夜《よる》の支配者《しはいしゃ》」とでもよんでくれ。
とっぷり日《ひ》がしずみ、
鳥《とり》どもが寝《ね》しずまったら、空《そら》はおれたちのもんさ。
ばっちりチューニングした超音波《ちょうおんぱ》を
ガンガン出《だ》して、暗闇《くらやみ》の中《なか》を飛《と》んだ日《ひ》にゃ、
もう気分《きぶん》は最高《さいこう》！
えっ、なんでおれたちが
わざわざ真《ま》っ暗《くら》な夜《よる》に空《そら》を飛《と》ぶのか知《し》りたいって？

ったく、しょうがねぇなぁ。
こんな説《せつ》があるから、こっそり教《おし》えてやるよ。

さくいん

この本《ほん》に出《で》てきた生《い》き物《もの》を、近《ちか》いなかまごとに紹介《しょうかい》します。

脊索動物《せきさくどうぶつ》

脊椎《せきつい》（背骨《せぼね》）や脊索《せきさく》（原始的《げんしてき》な背骨《せぼね》）をもつ動物《どうぶつ》

ほ乳類《にゅうるい》

親《おや》と似《に》たすがたの子《こ》どもをうみ、乳《ちち》で育《そだ》てる。体《たい》温《おん》が一定《いってい》で肺呼吸《はいこきゅう》をする

鳥類《ちょうるい》

卵《たまご》からうまれ、翼《つばさ》をもち空《そら》を飛《と》ぶものが多《おお》い。体《たい》温《おん》が一定《いってい》で肺呼吸《はいこきゅう》をする

は虫類《ちゅうるい》

卵《たまご》からうまれ、肺呼吸《はいこきゅう》をする。まわりの温度《おんど》によって体温《たいおん》が変化《へんか》する

両生類《りょうせいるい》

卵《たまご》からうまれ、子《こ》どものときは水中《すいちゅう》でえら呼吸《こきゅう》、おとなになると肺呼吸《はいこきゅう》にかわる。まわりの温度《おんど》によって体温《たいおん》が変化《へんか》する

硬骨魚類《こうこつぎょるい》

水中《すいちゅう》で生活《せいかつ》し、ひれを使《つか》って泳《およ》ぐ。多《おお》くが卵《たまご》からうまれる。まわりの温度《おんど》によって体温《たいおん》が変化《へんか》する

ホヤ類《るい》

水中《すいちゅう》で生活《せいかつ》し、子《こ》どものときは自由《じゆう》に泳《およ》ぎ回《まわ》り、おとなになると岩《いわ》や海《かい》そうにくっつく

無脊椎動物《むせきついどうぶつ》

脊椎《せきつい》（背骨《せぼね》）や脊索《せきさく》（原始的《げんしてき》な背骨《せぼね》）をもたない、脊索動物《せきさくどうぶつ》以外《いがい》の動物《どうぶつ》

ヒトデ類《るい》

星形《ほしがた》にのびた5本《ほん》のうでをもつ。体《からだ》の中央《ちゅうおう》に口《くち》がある

ナマコ類《るい》

体《からだ》は筒状《つつじょう》でやわらかい。前方《ぜんぽう》に触手《しょくしゅ》と口《くち》があり、後方《こうほう》に肛門《こうもん》がある

昆虫類《こんちゅうるい》

体《からだ》は頭《あたま》、胸《むね》、腹《はら》に分《わ》かれている。多《おお》くは触角《しょっかく》と羽《はね》をもつ。あしは3対《つい》6本《ぽん》

甲殻類《こうかくるい》

体《からだ》がかたいからでおおわれている。おもに水中《すいちゅう》で生活《せいかつ》し、えら呼吸《こきゅう》をする

鋏角類《きょうかくるい》

口元《くちもと》に鋏角《きょうかく》というはさみのような器官《きかん》がある。あしはおもに5対《つい》10本《ぽん》

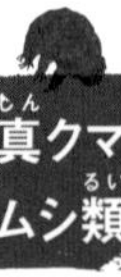

真《しん》クマムシ類《るい》

水《みず》や土《つち》の中《なか》で生活《せいかつ》し、乾燥《かんそう》や低温《ていおん》になると仮眠状態《かみんじょうたい》でたえる

頭足類《とうそくるい》

イカ・タコのなかま。体《からだ》は頭《あたま》、胴《どう》、腕《うで》に分《わ》かれ、頭《あたま》から腕《うで》がはえている

腹足類《ふくそくるい》

クラゲ類《るい》

参考文献

『カブトガニの謎』惣路紀通・著（誠文堂新光社）

『クマムシ?!　小さな怪物』鈴木忠・著（岩波書店）

『ゴリラ』山極寿一・著（東京大学出版会）

『昆虫はすごい』丸山宗利・著（光文社）

『進化がわかる動物図鑑』柴内俊次・監修（ほるぷ出版）

『世界珍獣図鑑』今泉忠明・著（人類文化社）

『世界珍虫図鑑』上田恭一郎・監修／川上洋一・著（柏書房）

『世界の爬虫類ビジュアル図鑑』海老沼剛・著（誠文堂新光社）

『たちまわるサル―チベットモンキーの社会的知能―』小川秀司・著（京都大学学術出版会）

『ハダカデバネズミ―女王・兵隊・ふとん係―』吉田重人、岡ノ谷一夫・著（岩波書店）

『プチペディアブック　せかいの動物』成島悦雄・監修（アマナイメージズ）

『プチペディアブック　にほんの昆虫』岡島秀治・監修（アマナイメージズ）

『ペンギンが教えてくれた　物理のはなし』渡辺佑基・著（河出書房新社）

『ホタルの不思議』大場信義・著（どうぶつ社）

『ミジンコ―水の中の小さな生き物―』武田正倫・監修（あかね書房）

監修者

今泉忠明　いまいずみ ただあき

1944年東京都生まれ。東京水産大学（現 東京海洋大学）卒業。国立科学博物館で哺乳類の分類学・生態学を学ぶ。文部省（現 文部科学省）の国際生物学事業計画（IBP）調査、環境庁（現 環境省）のイリオモテヤマネコの生態調査などに参加する。トウホクノウサギやニホンカワウソの生態、富士山の動物相、トガリネズミをはじめとする小型哺乳類の生態、行動などを調査している。上野動物園の動物解説員を経て、「ねこの博物館」（静岡県伊東市）館長。おもな著書に『アニマルトラック＆バードトラックハンドブック』（自由国民社）、『野生ネコの百科』（データハウス）、『猛毒動物 最恐50』『外来生物 最悪50』（ソフトバンク・クリエイティブ）、『巣の大研究』（PHP研究所）、『動物行動学入門』（ナツメ社）、『小さき生物たちの大いなる新技術』（KKベストセラーズ）、『危険動物との戦い方マニュアル』（実業之日本社）、『ねこはふしぎ』（イースト・プレス）がある。

おもしろい！進化のふしぎ
ざんねんないきもの事典

監修者　今泉忠明
発行者　高橋秀雄
発行所　**株式会社 高橋書店**
〒112-0013　東京都文京区音羽1-26-1
電話　03-3943-4525

ISBN978-4-471-10364-4

本書の内容についてのご質問は「書名、質問事項（ページ、内容）、お客様のご連絡先」を明記のうえ、郵送、FAX、ホームページお問い合わせフォームから小社へお送りください。

回答にはお時間をいただく場合がございます。また、電話によるお問い合わせ、本書の内容を超えたご質問にはお答えできませんので、ご了承ください。

本書に関する正誤等の情報は、小社ホームページもご参照ください。

【内容についての問い合わせ先】
書　面　〒112-0013　東京都文京区音羽1-26-1　高橋書店編集部
ＦＡＸ　03-3943-4047
メール　小社ホームページお問い合わせフォームから　(http://www.takahashishoten.co.jp/)

【不良品についての問い合わせ先】

ページの順序間違い・抜けなど物理的欠陥がございましたら、電話03-3943-4529へお問い合わせください。ただし、古書店等で購入・入手された商品の交換には一切応じられません。